思考の方法学

栗田 治

講談社現代新書

2720

はじめに

日常的な課題も支える「モデル分析」

本書のタイトルは『思考の方法学』です。

「思考」という言葉はとても一般的で広範な意味をもちますが、今回、特に限定的に焦点を当てるのは、**ある目的をもって物事に対処し、納得したり解決策を見つけたりするために考えるという営み**です。こうした思考を支える技術としての「モデル分析」にさまざまな角度から焦点を当て、それを上手く役立てるための方法をわかりやすく解説します。

詳しくは序章ならびに第1章で述べますが、**本書でいう「モデル」とは、考える対象となる事物を吟味して大切な要素のみを選び出し**（それ以外は捨て去り）、**選び出された要素（部品）同士の関係性を記述することによって、現実の真似事（模型）をこしらえたもの**のことです。その際、モデルを、当事者の目的を達成するための「思考の枠組み」として上手く機能するようにこしらえることができれば、大変に役立つツールとなります。それは学問・研究の定番のツールであるのみならず、私たちの日常における、もっと身近な思考をも支えてくれるものです。

ここで私たちの日常生活を見ると、そこにはさまざまな現実的な課題が存在しています。たとえば「自宅に太陽光発電システムを導入すべきかどうか」とか、「スマートフォンを買い替える際に、複数の候補の中からどれを選ぶべきか」といった具合であり、枚挙に暇（いとま）がありません。

このような課題に直面するとき、当然のことですが私たちは目前の課題の本質を理解したうえで、よく考えて対処法をひねり出さねばなりません。そのために重宝するのが、モデル分析という思考の作法なのです。

モデル分析は、現実への対処法を考えるときに不可欠の技術です。モデルを作成して用いるからこそ、私たちは論理的な思考に基づいて物事を理解したり、適切な計画を立てることができます。こうした事情によって、大学の理工系の多くの学部ならびに経済学部では、モデルを「キー概念」（重要な概念、キーコンセプト）とした教育が行われています。また、文科系の多くの学部でも、必ずしも明示的に取り扱われてはいなくても、さまざまなモデル分析に加えて、基本的な統計学のモデルが教えられていることが多いようです。モデルとは、ある意味で科学的な思考を支える最も基本的なものと言えましょう。

文系と理系の思考をまたぐ

筆者は大学の理工学部に所属する都市工学の研究者ですから、本来は自ずと「定量的モデル」（第2章で解説する、数式や関数を用いるモデル分析のこと）を使用する立場にありますが、本書をお読みくださる一般の読者の皆さんの便宜のために、**数式は一切用いずにモデル分析という思考法について説明します。**

ところで、私たちがある目的をもって物事を考えるとき、目の前のすべてを考慮することは不可能なので、無意識のうちに現実を抽象化した「部品」を心中にいくつか設け、部品同士の時間的な前後関係やさまざまな因果関係を与えたシステムを想定します。実はこのシステムがモデルにほかなりません。

私たちはこのシステム上で推論を行って結論を出し、現実に対処しています。つまり、すべての人が〝暗黙裡（あんもくり）に〟モデル分析を行っているのです。こうした心中での思考の営みは、私たちの物事に対する判断を支えてくれています。ただし心の内に秘められた営みであるため、思考のシステムに勘違いや合理的でない要素が紛れ込んでいても気づきにくいという短所があります。

このモデルというものを言語表現や数学表現の助けを借りて心の外に引きずり出し、論理的であり、かつ事実によって検証できるものに磨き上げるのが学問にほかなりません。

そして、ここが大切なところですが、さまざまな学問領域で用いられているモデルは、長年の風雪に耐えていますから、そこには自ずと明確なこしらえ方が用意されています。そうしたモデルのこしらえ方を一通り理解しておけば、私たちのモデル思考は豊かになるに違いありません。これまではあの方法でモデルをこしらえて考えたけれど、今度はあの方法でやってみよう、という具合にです。あるいは、いま現在自分で学びつつある学問は、つまるところあのタイプのモデルで記されている、という具合に見極めて、理解を深めることも可能です。そこで本書では、こうしたモデルのさまざまな類型を、具体例を挙げつつ平易に述べることにしました。

なお、本書は「モデルづくりのノウハウ本」ではありません（後の章でいくつものモデルのつくり方を述べたので、もちろん参考になるとは思いますが）。それよりも**本書は、モデル分析の本質の理解に重点をおきました。加えて人間を取り巻く組織や社会に関するモデル分析を行う上で、是非とも押さえておくべき手法や概念の紹介につとめました。**こうした知識は、モデル分析という思考の技術を豊かなものにするために大いに寄与してくれるはずです。

さらに本書において筆者は特に、**文系と理系の垣根を飛び越えることの大切さをお伝えすることに力を注ぎました。**文系と理系の区分けは、制度としての教育を高等学校と大学で行うためには確かに有効です。しかし学び思考する一個の人間として、こうした制度上の（つまり教える側の都合による）区分けによって自らの思考の枠組みを縛る必要などないのです。

文系思考と理系思考というステレオタイプの区分けに左右されずに、文理の境界をまたいで方法論や概念を学び、実践することが大切です。本書が述べる多岐にわたるモデル構築の方法と、らせん的展開の作法（第7章で詳述します）は、理系の皆さんだけでなく、文系の皆さんが物事の理解や意思決定を行う上での大切な基盤となることでしょう。また、社会学という文系の学問から紹介した重要な概念装置は、これも文理を問わず、組織や社会の意思決定を正しく行うために大いに寄与してくれることでしょう。

皆さんの思考と意思決定のプロセスにおいて、モデル分析という豊かなツールを意識して用いてくださることを願ってやみません。

〈本文中は一部を除き敬称略としました〉

目次

はじめに 3

序章 思考はモデルによって支えられている 19

1 本書が対象とする「思考」とは 20

「誰のために」「何のために」という目的合理性

2 モデルとは何か 24

モデル思考とは「捨てる技術」

「読み書きそろばん、モデル分析」

嘘やデマから自らを守る効用

3 モデル分析の方法論 30

モデルをコーディネイトする

本書の構成について

第1章 モデル分析はこうして行われる 37

1 **モデルの目的の類型** —— 38

どの類型かを見極めて学ぶ

2 **モデル分析の典型的なプロセス ——交通流のモデル分析を例にして——** 40

モデルづくりは「アート」

【1】理学的発見プロセスの仮説モデル

【2】密度によって速度を表すモデル

【3】交通量（通過台数）を最大化するモデル

【4】車の密度が走行速度を決める原理を追求するモデル

合理的で重要な「部品」

第2章 数学を用いるか、言語を用いるか —— 53

——定量的モデルと定性的モデル——

1 **定量的モデルとは何か** —— 54

要素同士の関係を数式を用いて表現する

天文学で飛躍的に発展した定量的モデル

プレタポルテかオートクチュールか

2 定性的モデルとは何か — 60
言語的データから法則を導く
高度な定性的分析による『自殺論』
マックス・ヴェーバーによる謎解き
定性的モデルの評価と存在意義
3 他方を見ることも大切 — 70
過去の定性的モデルを定量的モデルで甦らせる
将来予測ができるようになった地理学
第3章 いつか役立てるか、いま役立てるか — 75
——普遍的法則を追求するモデルと個性的な個体を把握するモデル——
1 普遍的法則を追求するモデルとは何か — 77
ニュートン力学の破綻
命題を覆した「異常な戦争」
2 個性的な個体を把握するモデルとは何か — 82

代表的なモデル例が「台風予測」
理学と工学の両輪
3 子供を交通事故から守るための個体モデルと普遍モデル —— 87
〈個体モデル〉危険回避のための即応的な対策
〈普遍モデル〉交通事故発生の根本原因と「近隣住区論」
第4章 ざっくりと切り分けるか、細部を見るか —— 95
——マクロモデルとミクロモデル——
1 経済学におけるマクロモデルとミクロモデル —— 97
両者でかなり異なるモデル構造
マクロ経済学の基本的モデル
個人の行動をモデル化するミクロ経済学
2 人々の移動のマクロモデルとミクロモデル —— 106
都市空間の交通を分析する
人々の移動のマクロモデル：空間的相互作用モデル

人々の移動のミクロモデル：非集計ロジットモデル
3 次元解析あるいはスケーリング則というマクロモデル —— 113
いろいろ使えるマクロモデル「次元解析」
「ジャイアント牛」育成のためのモデル
「音楽ホール」からの避難時間のモデル
第5章 時間による変化を考えるかどうか —— 117
——静的モデルと動的モデル——
1 人口の静的モデルの例：東京圏の人口分布 —— 119
都心からの距離と人口密度の減少の関係
魅力的な路線セクターから郊外化が進む
2 人口の動的モデルの例：人口ピラミッドの予測モデル —— 126
コーホート要因法
世界の合計特殊出生率
八百屋お七と「丙午(ひのえうま)の迷信」

十干十二支というオカルトモデル
オカルトモデルに致命的に欠けているもの

第6章　モデル分類法の活用 ―― 145

1　モデルの位置づけマップ ―― 146
知的営みの地図
学問研究を配置してみる
自分の立ち位置を確認する

2　研究方法論としてのマクロとミクロ ―― 152
どちらのアプローチに軸足を置くか
店舗内の客の行動を記述するミクロモデル
最適な施設の数を求めるためのマクロモデル
施設の配置を求めるミクロモデル

3　静的モデルと動的モデルの視点 ―― 161
ウイルス感染伝播を予測するモデル

動的モデルを用いず、ガラガラになった高齢者施設
在庫管理における静的モデルと動的モデル
アイス売り2人の立地競争問題
アイスを買う客の立場から見たモデル
アイス売りが3人以上いる場合

第7章 モデル思考のための学問「オペレーションズ・リサーチ」—— 173
——キーワードは「らせん的展開」——

1 オペレーションズ・リサーチの誕生 —— 175
戦争を通じて開発された学問
限られた予算・資源・時間の下での最大の成果

2 計画数学とは何か —— 179
超高層ビル建設に必要なさまざまな工学
飛行機の座席数を決定するための最適化モデル

3 数理モデルとは何か —— 184

厳密で詳細な分析と設計を可能にする
4 数理モデル分析の流れと「らせん的展開」 ―― 189
〈現実の世界〉と〈数学の世界〉
ホウレンソウの逸話
とにかく目指すのは「らせん的展開」

第8章 モデル分析を支えるキー概念 ―― 201

1 正味現在価値法 ――時間の流れの中でプロジェクトの価値を見極める―― 203
橋を架けるプロジェクトの「お金の出入り」例
将来のお金を現在の価値に換算する
2 埋没費用 ――モデルから何よりも先に捨て去るべきもの―― 208
〝もったいないバイアス〟に注意
自宅における埋没費用とは
3 パレート最適 ――多目的な最適化を支える論理―― 212
複数の候補から優れたものを選ぶ

スマートフォン買い替え候補の「パレート最適」

4 伝統主義――思考に無用のたがをはめるもの―― 218
過去の呪縛に縛られない

5 フェティシズム――目的を見誤らせる心の作用―― 221
〝手段〟が〝目的〟に転じた倒錯
教育・研究の現場でのフェティシズム

6 官僚制の順機能と逆機能――あらゆる組織に忍び寄る官僚制のわな―― 226
最高の官僚は最悪の政治家
「ポスドク問題」を生み出した逆機能の例
巨大化する組織に不可避の官僚化

第9章 誰のために考えるのか――問題の所有者という要件――

235

1 どのような価値観でモデルをつくるか 237
問題には必ず所有者がいる

価値観によって異なるものの見方
都市施設配置の3つの問題
最適解にも得手・不得手がある
多目的計画問題のパレート最適集合
背後にいる〝問題の所有者〟に思いを馳せる
2 実社会への眼差し 247
「本州四国連絡橋」架橋による正と負の影響
一部の不利益を見過ごさない
第10章 モデルと人間 253
1 思考のためのモデルリテラシー 255
文系と理系の境界を越える学び
有名大学経済学部卒の銀行員が知らなかったこと
2 モデルと自己防衛の営み 259
自ら真偽を判定する習慣

検証されない日本の公共事業

3 人間の領分 ―― 262

「住民による徒歩」を肯定する動き
平均歩数と死亡率の関係
古きを捨て新しきをこしらえる

おわりに ―― 268

参考文献 ―― 273

序章　思考はモデルによって支えられている

1　本書が対象とする「思考」とは

「誰のために」「何のために」という目的合理性

私たちは日々の業務において色々な課題や解くべき問題に直面します。

・決められた予算の下で最も大きな成果を上げるために、物事をどのように実行すべきか？
・あることを実施するに際していくつかの案が想定されているが、そのうちのどれが最も優れているか？
・年金問題が取り沙汰されているが、将来の時点で年金システムを成り立たせるために受給ルールをどのように変更すればよいか？
・自分が所属する組織の力を維持・発展させるために、組織の構成員をどのように評価すればよいのか？

取り扱われる課題や問題は数に限りがありません。いま挙げたのは少し硬いお話でしたが、私生活の場でも次のような問題によく出くわします。

・業者から太陽光発電システムの購入を勧められているのだが、買うべきか買わざるべきか？

・くたびれてきたスマホの買い替え候補にA、B、Cの3機種があるが、自分はどれを買うべきか？

これらの課題には共通の事情があります。それは「誰のために」「何のために」という目的を伴っている、ということです。「組織の利益を大きくするために」「人々の安心・安全のために」「家計を維持するために」「自らの喜びを大きくするために」といった内容です。

大学や各種の研究機関における研究の営みも同様です。プロの研究者はもちろん、大学生や大学院生も、自らの研究課題を決めた上で、それを達成することが要求されます。

・ある不思議な現象が観察されるので、それを説明するための枠組み（「作業仮説」といいます）を設定して、実験や観察によって仮説を確かめよう

・ドローンによるオンデマンド型の宅配システムが構想されているので、客の待ち時間

を考慮したうえでサービス水準を達成するためのデポ（ドローンの発進基地）の位置と配備台数を求める方法を確立したい

・国家間のアライアンス（同盟）が結ばれているが、これに基づいて国々を仲良しグループに分けてみよう

これらはあくまでも数例ですが、さまざまな分野の学究の徒が、こうした課題や目的を自ら設定し、あるいは人から与えられ、その達成に向けて努力しているのです。

このような課題の下での思考においては、ただ何となく考えるのではなく、「課題の解決に向けて概念を設定・整理し、課題を取り巻く環境も考慮したうえで、論理的な推論に基づいて判断するプロセス」を取り扱わねばなりません。**現実世界の制約を見据えた上で、「誰のために」「何のために」を前提として思考する**わけです。**社会学の言葉を用いると、「目的合理性」を持たねばならない**のです。

目的合理性は、社会学者マックス・ヴェーバー（1864―1920）の用語であり、『社会学小辞典』（有斐閣、1997年新版）には、

「一定の目的設定が行われた場合、その達成のための手段選択、操作可能でない事物や他者がつくり出す『条件』（Bedingungen）への配慮、さらには行為の付随的結果の予測と統制

などが合目的に行われることをいう」と記されています。これをわかりやすく言い換えると、「できることとできないことを知り、守らなくてはならないルールを見分けた上で、目的を達成するために考える」ということです。さらに目的合理性を理科系の言葉で表すと、「制約条件の下で最適化問題を解くこと」となります。

当然のことですが、目的合理的であるためには、思考が事実に基づき論理的に営まれている必要があります。「これがあるべき姿なのだからきっとそうなるだろう」とか「周りの皆がそう言っているから、そうなるにちがいない」という具合に、注意深い現実観察に基づく検証をせずに夢想するのは、思考（厳密にいうと目的合理的な思考）ではなく、妄想です。

ここで私たちが注意しなければならないことは、これまでの人間の思想の系譜や、限られた分野の学問内容をみると、こうした妄想に基づく説明の体系が少なからず存在しているという事実です。妄想を前提とした説明体系は、それがどんなに緻密に考えてつくられていたとしても、砂上の楼閣となってしまう恐れが大きいのです。私たちは、そうした妄想の体系にからめとられないようにしなければなりません。

2　モデルとは何か

モデル思考とは「捨てる技術」

詳しくは第1章以降で述べますが、本書のいうモデルとは何かを、わかりやすく示すのが図0－1です。まず準備として目前の現実を注意深く観察し、❶物事の大切な部分だけを取り出して部品をつくります。そして、❷部品同士の関係を論理的につきとめるのです。このようにして作った論理的なシステムがモデルです。これを、❸理解し役立てます。

このモデルというものは理工系の専売特許ではありません。社会学者の大澤真幸（おおさわまさち）は著書『社会学史』の中で、マックス・ヴェーバーの研究方法論として「理念型」という重要な概念を紹介しています。その部分を引用すると、「ある現象――この場合にはもちろん社会現象ということになるでしょう――に関して、特定の観点から見て意義あるとされたことがらだけを抽出し、強調したことによって得られる概念的構築物が、理念型です」とあります。これは、本書が述べるモデルと、ほぼ同様の概念です。

ここで非常に重要なことを申し上げましょう。それは、大切な部分だけを取り出すというのは、それ以外の大切でないと思われる（ほとんどの）部分を捨て去ることを意味してい

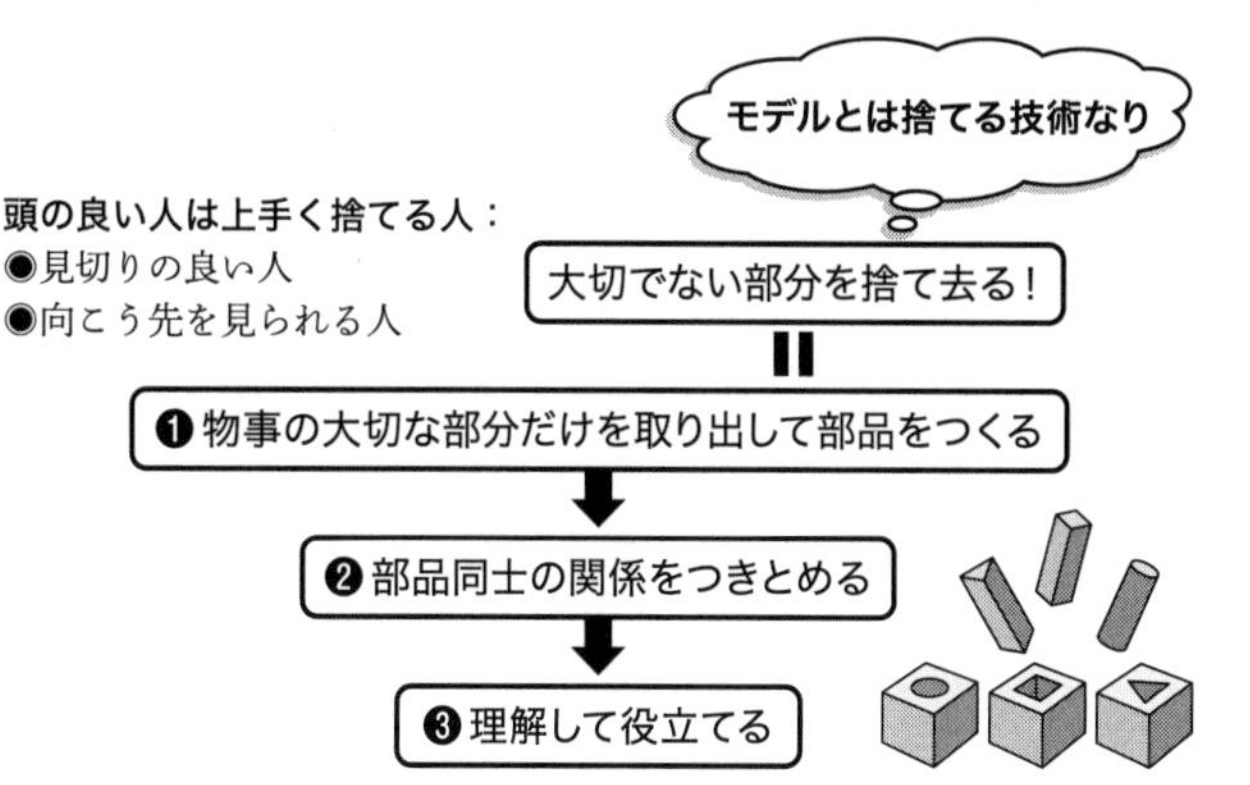

図0-1　モデルとはどのようなものか

る、という事実です。つまり、モデル思考というのは「捨てる技術」なのです。

物事の本質をずばりと指摘する人や、このまま推移するとどうなるかを端的かつ的確に述べることができる人のことを、「見切りの良い人」とか、「向こう先を見られる人」と表現しますね。この種の人は、複雑な現実をそのまま受け止めて頭を抱えてしまうのではなく、いくつかの要件をセンス良く抽出し、因果関係に基づく推論を要領良く行っているのです。そうした人は捨てるのが上手なモデル分析の達人といってよいかもしれません。

このように、**モデルをつくるに際しては要素を可能な限り捨て去り、少ない部品に絞ることを目指す**べきです。そうすればモデルに基づく思考の操作が単純になり、手間のかからないものになるからです。

しかし、何事にも「過ぎたるはなお及ばざるがごとし」という鉄則が付きまといます。過度に単純化すると、役に立たないモデルになってしまうのです。細部のリアリティを過度に切り捨てたプラモデルが、見ていてなんだか残念なものに見えてしまうのと同様です。「それを見たり触ったりする人に実物の造形美に似たものを感じさせ、ワクワクしてもらう」というプラモデル本来の目的を合理的に達成するためには、これ以上は細部を切り捨ててはいけない、という限界のラインが存在するはずです。それと同じことがモデル分析についても成り立ちます。

「読み書きそろばん、モデル分析」

モデル分析は、理工系のみならず、経済学・社会学・政治学といった学問分野における不可欠の方法論です。本書ではモデルというものをことさらに取り上げ、その多面的な有りようや、それに付随してぜひとも知っておくべき社会学の概念を紹介します。それには次のような明確な理由があります。

①モデル分析の多面的な方法を理解し、意識して用いることによって、思考の幅を広げることができる

②学問を修めるプロセスにおいて、自分がどのようなタイプのモデル分析を学んでいるのかを意識することによって努力の方向性が明らかになる
③研究を行う上での自分の立ち位置を意識することができ、将来にかけて自らの立ち位置を変える（変えたい？）可能性に思いを馳せることができる
④文科系の人が理科系のモデル分析の要諦を理解することによって、その典型的な方法を役立てることができる
⑤理科系の人が重要な文科系（具体的には社会学領域）の概念を理解することによって、人間の特性を読み間違って思考する恐れを減らすことができる

少し砕けた標語的な表現をすると、「読み書きそろばん、モデル分析」といった具合に、日常の至る所でモデルをこしらえて物事を判断するのに役立ててほしいのです。特に③は、人生を通じて学び、かつ実践する私たちにとって大切なことです。若いときに身につけて用いた思考の作法を、一生を通して使い続ける必要などないからです。

学部時代にはミクロ経済学とマクロ経済学の基礎を学び、マクロ経済学で学位を取得した。その後、興味を覚える対象が変化してミクロ経済学の研究を行うようになった。そして近年は行動経済学の研究を行っている、といった研究人生の歩み方もあると思います。

あるいは、文科系の学問を修めて事業計画を立てる部署で仕事をしてきたが、出店計画や需要の予測をコンサルティング会社任せにするのでなく、自分で深く理解するために、マーケティングの数学モデルの書物を学んでみよう——。これらはどれも、大変に意義のある営みです。

嘘やデマから自らを守る効用

モデル分析を学ぶことの効用は他にもあります。

私たちは、各種のメディアを通じてさまざまなことが断言されているのを目にします。「○○を食べれば△△の症状が改善する」「○○国の人たちは日本のことを△△だと思っている」「少子化をとどまらせるには○○をすればよい」といった具合です。これらはすべて目的合理的に思考された論理的な帰結なのでしょうか。

自らモデル分析を行った経験があればわかるのですが、こうしたことを自信をもって断言するのには、大変な手間と時間（そして場合によってはお金）がかかります。また、他者の行った研究に基づいて判断するに際しても、それを批判的に検討したうえで、慎重に結論を導く必要があります。さらに言えば、メディアで目にする断言には、それがどのようなプロセスで何を仮定して導かれたものであるか、という致命的に重要な情報が欠落していることが多いのです。単なる伝聞が断定的に正しいものとして伝えられている場合さえあります。

モデル分析の本来の有りようを学んでおけば、こうした世間に満ち溢れる断言に対して、「いったい、どのようなモデル分析によって導かれたのだろう?」という疑問を持つことができます。たとえば、ある食品や薬品が何かの病気に効くことを明らかにするには、綿密なる疫学的調査と統計モデルによる分析が不可欠です。また、ある国の国民の意向を正確に把握するためには、これまた必要とされる規模の調査を正しく行わなければ、統計的に有意な結論を導くことなどできません。そうした先行する調査・研究に基づく合理的な断定であるかどうか、このことに目を光らせるのが正しい態度です。

断言の背後にあるモデルを突き止めることができない場合には、それを信じるかどうかを、とりあえずは保留の状態にしておきましょう。世には「人は正しいから信じるのではなく、信じたいから信じるのだ」というユリウス・カエサルの言葉がありますが、近代を生きる人間にとって、これは望ましい姿ではありません。

要するに、モデルに関して学ぶことは、他者の嘘や勘違いやデマゴーグ(扇動政治家や民衆扇動家)から自らを守る手立てとなるのです。

騙されぬように「眉に唾をつける」という慣用表現がありますね。筆者はその代わりとなるものとして、「どんなモデルによる断言なのかを冷静に考える」という態度を推奨いたします。

3　モデル分析の方法論

モデルをコーディネイトする

本書の「はじめに」で、「モデルというものを言語表現や数学表現の助けを借りて無意識の世界から引きずり出し、論理的かつ事実によって検証できるものとして磨き上げるのが学問」と述べました。その意味で、学問・研究というものは天から降ってきた何か特別な存在というわけではなく、私たちの日常の思考の延長線上にあるのです。このモデルをつくり、操り、さらには改善する……そうした能力に長けた人は優れた研究を行える可能性があります。また、日常生活や業務活動においても、この能力はとても大切です。

本書では、モデルを分類する方法を次の4通り紹介します。

①定量的モデルと定性的モデル（→第2章　数学を用いるか、言語を用いるか）
②普遍性を追求するモデルと個体を把握するモデル（→第3章　いつか役立てるか、いま役

立てるか）

③マクロモデルとミクロモデル（↓第4章　ざっくりと切り分けるか、細部を見るか）

④静的モデルと動的モデル（↓第5章　時間による変化を考えるかどうか）

これらはどれも「対（つい）」の概念となっており、モデルをつくるときにどちらかを選択的に用いることになります。

4つの対においてどちらを選ぶかによって、異なるモデルがつくられるのです。たとえば、あるテーマに沿って、「個体を把握するための静的でマクロな定性的モデル」や「普遍的な性質を突き止める動的でミクロな定量的モデル」をつくる、という具合にです。各対からの選び方が異なれば、モデルをつくるための努力の方向も異なるし、結果として何が導かれるかもかなり異なったものとなります。

これを私たちの日々のファッションを例にして説明しましょう。トップス（上に着るもの、英：tops）の選択肢、ボトム（ズボン、スカート、英：pants, skirt）の選択肢、アウター（羽織る服、英：outerwear）の選択肢、そして靴の選択肢、といったそれぞれの中から順に1つずつ選んでいけば、外出時のコーディネイトが1つ決まりますね。それと同様のことです。

ただし、その場そのときの外出先にふさわしいコーディネイトにしたいものです。モデル分析の場合も同様であり、目的合理的であるように組み合わせを決める必要があります。また、ファッションの場合、これまでは選んでこなかった組み合わせ方の中に魅力的なものが隠れているかもしれません。同様に、モデル分析の場合も、これまでの研究や実務の中で自分が試していない組み合わせの中に、良い出力を与えてくれるものが潜んでいるかもしれないのです。

このような背景により、4つの対概念がどのようなものであるかを正しく理解し、その実例を知っていれば、自身の努力によってモデル分析を行っていくときに役立つものと思われます。

そのわかりやすい実例を次章で述べますが、**モデルは世に存在する複雑な現象から限られた要素を取り出し、一般的な法則や命題を導き出したり、事実を観察整理してわかった要素同士の関係から、新たな「正しいと思われること」を見つけ出すものです。**

ここで大切なことは、同じ現象を見ていても、モデルをこしらえる方法は前述したように一通りではないことです。先ほどの4つの対概念を別の言葉で言い換えてみます。

①どのような論理（記述言語といってもよい）**を用いるか**
②対象物の、どの側面を明らかにすることを目指すか

③どの程度の緻密さで記述するか
④時間による変化を考慮するか

この4つのフィルターをどのように設定するかによって、相当に異なるモデルが出現することになるのです。

この4つの分類は自分が学んでいるモデルや、自らこしらえようとしているモデルが、どのような属性をもったものであるかを深く認識するために役立ちます。そして、同じテーマを別の切り口で研究できるのではないか、という新たなる展開を発想するためにも役立ちます。

本書の構成について

本書は、次のような構成となっています。

第1章では、モデルが目指す目的の類型を整理したうえで、学術の流れの中でモデルがつくられる典型例として「交通流」の観察にはじまるモデルづくり、そして工学的応用にむけた流れを、わかりやすく紹介します。これにより、モデルとはいったい何であるかというイメージを持っていただけると思います。

第2章、第3章、第4章、第5章は、モデルを大きく切り分ける4通りの分類法（前述のP30〜31およびP32〜33の①から④）について具体的に述べたものです。続く第6章では「モデル分類法の活用」として、4つの分類法を組み合わせて役立たせるためのアイデアを述べます。

そして第7章では、モデル分析によって人やモノや情報に関する目的合理的意思決定を追求する学問である「オペレーションズ・リサーチ」を紹介します。そこで、計画数学というものを例にしたモデル分析の説明と、それを改善する営みである「らせん的展開」という作法を紹介します。この営みは、あるモデルを優れたものに仕上げるためのものですが、実はそれだけでなく、学問そのものを発展させるためにも大切な役割を果たしています。

第8章では、人間の意思決定を支えるために役立つことの多い重要なキー概念を紹介します。「正味現在価値法」「埋没費用」「パレート最適」「伝統主義」「フェティシズム」「官僚制の順機能と逆機能」――これらの概念を正しく理解しておくと、人間が関係するさまざまな意思決定を正しく行える可能性が高まります。

第9章は、いったい誰のために考えるのかという重要事項に関する解説です。目的合理的思考には、必ず問題の所有者がいるのです。そして最後の第10章では、本書の内容を振り返るとともに、モデルリテラシーの重要性と、それがあくまでも人間のためのものであることを確認します。

本書を通じて、モデル分析という営みが、私たちの目的合理的な意思決定を支えてくれる大切な存在であることをお伝えいたします。読者の皆様におかれましては、さまざまな学習やお仕事、さらにはプライベートにおける意思決定に、これを活用することを試みてくだされば幸いです。

モデル分析の世界にようこそ!

第1章　モデル分析はこうして行われる

1　モデルの目的の類型

どの類型かを見極めて学ぶ

モデル分析はさまざまな目的をもって行われます。この章では読者の皆さんに、その具体的なイメージをお持ちいただくために、モデルがつくられ、ある目的のために用いられるプロセスを例示します。ただしそれを述べる前に、そもそもモデルはどのような状況下でつくられ何のために用いられるか、という類型を述べることにしましょう。

モデルがつくられる目的の類型を整理すると次のようになります。

類型1　現実を観察すると興味深い現象が起きているように見える。それは本当に起きているのか、勘違いなのかを明らかにしたい**〈経験的な事実の確認〉**

類型2　ある興味深い現象が起きていることが確かになった。そのメカニズムを明らかにしたい**〈原理の解明〉**

類型3　ある目的を達成するための最も良いやり方を見つけたい**〈最適解・最適設計・最適スケジューリングの導出〉**

類型4　このままだと将来どうなるのかを、あらかじめ知っておきたい〈**将来予測**〉

類型5　あることを実現するためにいくつかの方法が提案されている。それらを比較して順位をつけたい〈**物事の評価**〉

類型6　ある問題の解を求めるための計算の手続きをつくり出したい〈**アルゴリズムの開発**〉

類型7　ある事柄が生じ得るかどうかを明らかにしたい〈**存在証明**〉

読者の皆さんが真剣に物事を考えるとき、その対象が何であれ、この7つの類型のどれかに当てはまっているのではないでしょうか。そして、そもそも目的を伴う学問・研究の場合は、理科系にせよ文科系にせよ、この7つの類型のいずれかを追求しているものと思われます。

何か自分にとって新しい内容を学ぶときには、そこで語られる内容が**何を目的とし、どの類型のモデル分析を行っているか**を、できるだけ早い段階で見極めることが得策です。その学問によって、いったい自分が何処に連れていかれるのかを意識しながら学べば、安心して、しかもワクワクしながら進んでいくことができるからです。

2　モデル分析の典型的なプロセス――交通流のモデル分析を例にして――

モデルづくりは「アート」

序章で述べたことを端的にまとめると、モデルとは**目前の現実を思考の枠組みに変換するための装置**です。しかし、これでは表現が抽象的過ぎて、モデルを意識的に用いたことのない人にはわかりづらいかもしれません。こうしたときには具体例を挙げて説明するに限ります。

オペレーションズ・リサーチ（第7章で詳述）の大家であった工学博士・柳井浩（やないひろし）先生（1937―2021）は、「モデルをつくるにはどうすればよいのか？　モデルづくりは〝アート〟です。一定の手法に従って行われるものではありません。ですから、手順書をつくるというわけにはいかないのです」と述べています（『数理モデル』）。

確かにすべてのモデル分析の細部に至るまで、その作成法の一般論を述べることは不可能なのですが、P25の図0－1で述べた、❶物事の大切な部分だけを取り出して部品をつくる→❷部品同士の関係をつきとめる→❸理解して役立てる、という流れだけは、おおよそすべてのモデル分析に共通のものです。そこでまずは、この流れを適用する例を紹介することによって、読者の皆さんのモデル理解の助けとしたいと思います。

取り上げるのは、都市における「自動車の流れ」を題材とする研究です。読んでくだされば、モデルというものが決して理解しづらいものではない素朴な発想から出発するものであり、またとても役立つものであることが伝わると思います。

その際、せっかくですから、理学的発見からスタートして工学的な応用（最適化）に至る研究プロセスを通じて、モデルが一貫して私たちの知的な営みを支えてくれる様子をご覧いただきましょう（第3章で詳述しますが、「理学」とは自然観察に基づいて物質の構造や運動ならびに相互作用の様子を発見してその数学的な原理を解明する学問であり、「工学」とは理学的な原理を応用することによって人間の欲求を満たす方法を模索する学問です）。

なお、次の各段階では、前節で述べたモデルの目的の類型1、2、3が追求されることになりますので、それを各段階の最初に併記します。

【1】理学的発見プロセスの仮説モデル 〈目的の類型1　経験的な事実の確認〉

都市における自動車の流れを観察すると、「道路に存在する車の台数が多いほど、車の動きが遅い」という傾向が発見されます。この傾向は本当に成り立つものでしょうか。それを実測によって確かめましょう。

自動車の密度↑  自動車の速度↓

図1-1　自動車交通を観察して発見された因果関係の仮説モデル

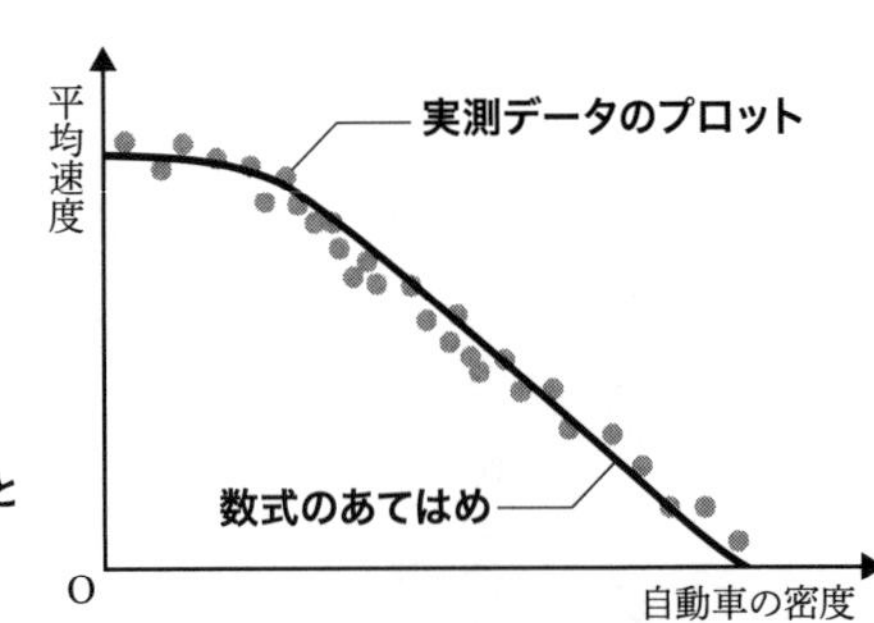

図1-2
「自動車の密度」と「平均速度」の実測結果

道路上に具体的な区間を設け、区間内の［自動車の密度］（区間に存在する台数を区間の長さで割ったものです）と、［自動車の速さ］を、思考のための部品として取り出します。そして、「自動車の密度が大きいほど、自動車の速さが小さくなるのだろう」という仮説を設けるのです（図1－1）。これは部品同士の因果関係の仮説モデルです。この時点では、この因果の確からしさは明らかになっていません。

次にすることは、この因果関係が実際に存在するのかどうか見極めるという目的を、合理的な観測によって達成することです。

そのために、まず実際の道路空間に観測の対象とする区間を設けます。そして一日を数多くの時間帯に切り分け、各時間帯ごとに区間内の［自動車の密度］と区間に存在する自動車の［速度］を計測するのです。これは録画と画像処理を用いたり、道路に設けられたセンサーによって行うことが可能です。

得られたデータに基づき、横軸に〔自動車の密度〕を、縦軸に〔平均速度〕をとってプロットすると、図1－2のような結果を得ることになります。ほんの数例の観測ではなく、数多くの観測に基づく結果だから、確かに、「自動車の密度が大きいほど、自動車の速さが小さい」ことが確かめられました。

この営みを、さまざまな道路区間で行うことによって、もともとは「どうやら、そうした傾向があるように見える」という発見が、確乎たる「法則」（個々の事実から導き出した真と思われる命題）に帰着する、という次第です。図1－1の仮説モデルが役に立ったのです。

〈目的の類型1　経験的な事実の確認〉

【2】密度によって速度を表すモデル

【1】で自動車の速度が密度によって決まっているらしいことが判明しました。これを現実の交通流の制御に役立てることができるかもしれません。そのためには、〔自動車の速度〕を〔自動車の密度〕の関数で具体的に表すことができるとよさそうです。

その際、いったいどのような仕組みで密度が速度を決めているのか、という理学的な問題意識を取りあえずは後回しにします。そして、得られたデータの傾向をできるだけ上手くなぞることができそうな数式を（数式のもつ数学的な性質に着目しながら）図1－2の曲線のように提案するのです。

このようにして、「密度の数値が与えられれば、直ちに速度が計算できる」という数学的な仕組みが手に入ります。便利ですね。モデルを通して、理学的な発見を工学的な数式につないであげることができたわけです。

【3】交通量（通過台数）を最大化するモデル
〈目的の類型3　最適解・最適設計・最適スケジューリングの導出〉

こうして「密度」→「速度」モデルが手に入ると、次に考えるのは、「では、この区間は時間当たり最大何台の自動車を通過させることができるのか？　そのときの密度はどのぐらいか？」という工学的な問題です。

道路に流入する車の量が少なくてガラガラの状態ならば、車は最大の速度（法定スピード）で走れます。でもそもそも車の量が少ないので、時間当たりの通過台数は小さいものとなります。一方、流入する車の量が過度に多いと、図1－2の「密度が増えると速度が低下する」という理屈によって、［速度］［km／h］はゼロに近づきます。このときは、区間に車はたくさんいるのにほとんど動けないという理由によって、時間当たりの通過台数はとても小さくなるはずです（渋滞状態です）。これらは2つともに、道路の性能を発揮できていない状態です。

こうして論理的な思考を進めると、「時間当たりの通過台数」（これを「交通流率」と呼びます）を最大にしてくれる「自動車の密度」があるはずだ、という発想に至ります。［交通流率］という新たなる部品は、簡単に、既出の［密度］に［速度］をかければ与えられます。このことは、密度の単位［台／km］に速度の単位［km／h］をかけると［km］が約分されて［台／h］という単位（時間当たりの通過台数という量）になることから明らかです。

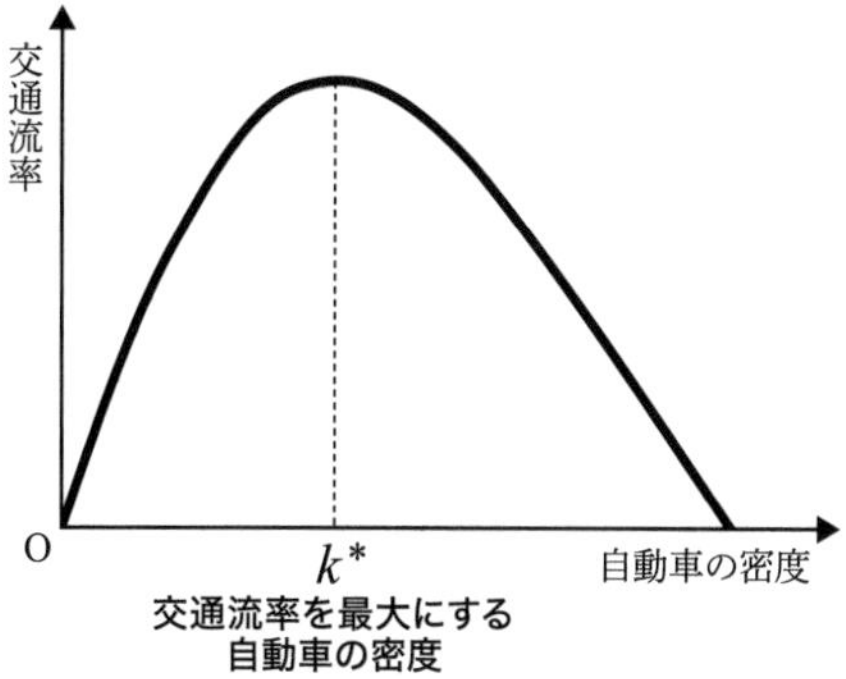

こうして準備される「交通流率」の曲線を、図1－2で準備した数式に基づいて描くと図1－3のようになり、通過台数を最大にする自動車の密度［k^*］を数学的に求めることができるのです。とても見通しのよいメカニズムです。

交通流率
O
k^*
交通流率を最大にする自動車の密度
自動車の密度

図1-3 「時間当たり通過台数」を最大にする「自動車の密度」を見つける

【4】車の密度が走行速度を決める原理を追求するモデル　〈目的の類型2　原理の解明〉

ここで研究者の目は、再度、理学的な側面に移ります。それは、どのような仕組みで「密度」が「速度」を決めるのかという疑問です。それを追求する面白いモデルが、図1－4のように道路をセルに切り分けてつくる「セルオートマトンモデル」というものです。オートマトンというのは自動機械のことです。

図1－4でセル内に●が入っているのは、そこに自動車がいることを示しています。この複数の●が、自分の前方の●（つまり直前にいる他の自動車）の影響を受けつつ、あるルールで勝手に進んでいく様子をコンピュータプログラムで記述するのです。この「勝手に」の部分が「オートマトン」と呼ぶ理由です。さらには、●のひとつひとつを「エージェント」と呼ぶので、こうしたモデルは別名「マルチエージェントモデル」（複数の主体間の相互連関構造の下で物事が進んでいくモデル）とも称されます。

自動車（●）が前に進むに際してのルールは単純です。

ルール1　直前のセルが空ならば、そのセルに進む

ルール2　直前のセルが空でなければ、進まない（もとのセルにとどまる）

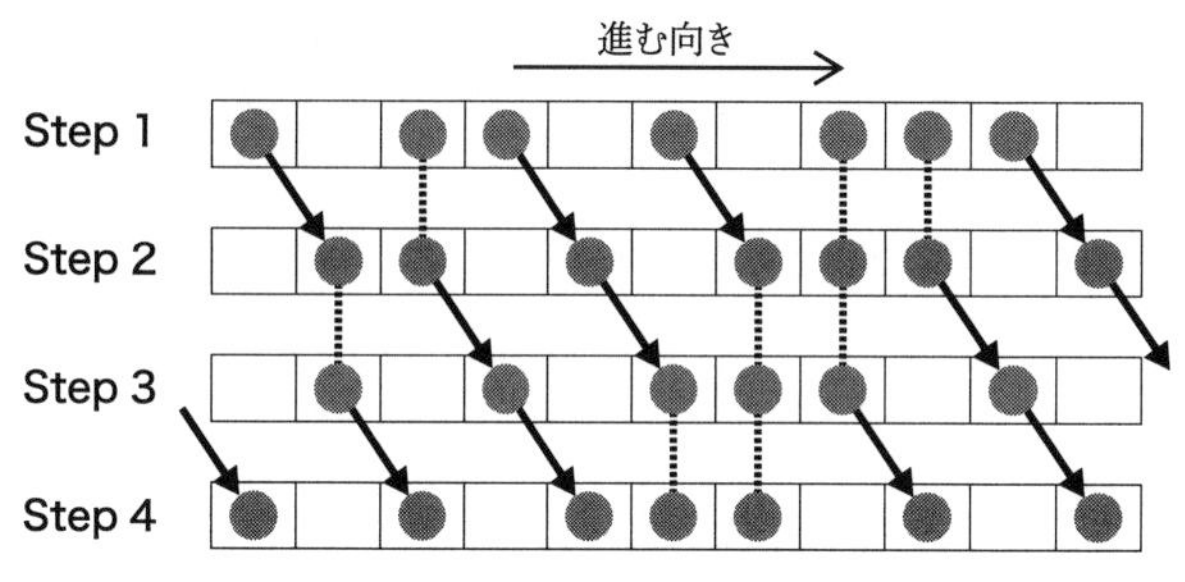

**図1-4　道路区間をセルに切り分けて車を動かす
セルオートマトンモデル**

このルールを適用したうえで、車の動きをコンピュータ上で再現するのです。このモデルを作ったのは理論物理学者のスチーブン・ウルフラム（1959—）であり、彼がこしらえたセルオートマトンモデルの184番目のものだったので、ルール184モデルと呼ばれています。ウルフラムはMathematica（マセマティカ）というコンピュータによる高性能な汎用数式処理システムを開発したことで有名な人です。

図1－4のように、Step1で、想定する密度でセルに●を確率的に生じさせます。すべての●に同時に上記のルールを適用し、1つ前方のセルに進むか、その場にとどまるかを判定して動かし、Step2に移ります。今度はStep2で同様の操作を行ってStep3に移ります。Step2の右端の●はStep3においてはシステムの外に出てしまいます。また、Step4の左端のセルには、ある確率で新たなる●が

登場していることがわかります。このような計算法は「確率的シミュレーション」と呼ばれます。

とても興味深いことに、このシミュレーションを行って「区間内の車の密度」と「区間に存在する車の平均速度」を求めてあげて、両者の関係をプロットすると、図1－2に類似した因果関係の結果（密度が高いほど移動速度が低い）を、ちゃんと得ることができるのです。

なお、前述のルールはこうした研究の出発点となる最も単純なものであり、これに現実の車の動きを反映するようなさまざまな要素や、車線が複数あるときの追い越しのルールなども加味して、現実に近いものに近づけてゆく、実に多くの研究が行われています。それにしても基本的なモデルのアイデアは至極単純なものでありましょう。

こうしたエージェントをベースにしたシミュレーションによるアプローチのほかに、車の流れを流体で近似したモデル（偏微分方程式による交通流モデル）というものも開発されています。そちらは数式を用いずに説明することができないので、ここでは割愛します。

合理的で重要な「部品」

紹介した交通流のモデル分析は、交通空間と動き回る自動車、そしてそれに乗って運転している人間に関わる多面的な構成物の中から、「区間に存在する自動車の密度」と「自動車の速度」という、たった2つの要素を部品として取り出すことによって行われました。序章で図0－1を用いて述べた通り、まさにモデル分析が「捨てる技術」であることが理解できます。

このように上手く捨てることができたのは、目的がはっきりしていたからです。それは、「自動車の移動速度をできるだけ大きくしたい」という分析者の願望です。そうした「速く動き回れるのは良いことだ」という価値観に下支えされて現場を見ると、「道路を走り回っている自動車が多いと速度が低下する」ということに目が向くわけです。つまり、理学的な発見は人間の価値観と無縁ではありません。

そしてその現実を「部品」として切り取ってこようとすると、自動車の量というものを定義せねばなりません。これを定義するためには空間を限定せねばならず、そのために道路上に区間を設けることになりました。

ただし、区間の長さは自分で決める必要があります。観測区間を長めに設定すると計測される自動車の台数は大きくなり、短めに設定すると台数は小さくなります。同じように自動車が流れ込んでいても、区間の長さによって計測される自動車の量が異なったのでは、合理的な部品と言えません。そこで目的合理的（論理的）にするために、台数を区間の長さで割って密度に変換し、これを「車の量」を表す部品として用いたのです。

つまり、多くの要素を捨て去り、重要な部品のみを抽出するためには、部品をどのように役立たせるかを目的合理的に判断しなければならないということです。実はこの判断が分析対象や目的によって千差万別であるため、前出の柳井博士は「モデルをつくる営みはアートである」という趣旨のことを述べたのだと思います。

もしも前述の交通流のモデルをもう少し詳しく学びたい場合は、数理科学者の西成活裕（にしなりかつひろ）（1967―）が著した『渋滞学』が好適な書物です。それを入り口にして、交通工学（土木計画学の一分野）や「待ち行列理論」（オペレーションズ・リサーチの一分野）を学べば、さらに深い理解を得ることができます。

こうしたモデルに基づいて、さらに、

- 交通密度に見合った道路の車線を決定する
- 人々が自分にとって都合の良い（すなわち最短時間で移動できるような）ルートを身勝手に選択したときに、道路ネットワーク上で交通流が実現する様（これを均衡交通流と呼びます）を算出するといった方向に学問・研究が展開してゆき、私たちの都市社会を支えるために活用されることになります。

なお、前述と同じようなモデル分析が、建築計画学の動線計画という分野でも行われています。そちらでは、歩行空間（歩道や駅やビルの通路など）における「歩行者密度」と「平均歩行速度」の関係を記述するためのモデルが、数多くの観察に基づいて記述されています。建築空間の設計者も、やはりモデル思考に基づいて歩行者空間の幅を決定するのです。

この章で申し上げたかったのは、コンピュータプログラムや高度な数学を用いはするものの、モデル分析とは**素直に現実を観察し、要件を部品として取り出したうえで、部品同士の関係を素朴に記述する**ものである、という事実です。普段、数学やコンピュータプログラムを用いない読者の皆さんにも、その本質を理解していただけたでしょうか。

第2章　数学を用いるか、言語を用いるか

――定量的モデルと定性的モデル――

定量的モデルと定性的モデルは、データや情報を分析し思考するための異なるアプローチです。モデルをつくる際に、考察対象を構成する要素の「量」に着目し、要素間の因果関係を記述するために数式を用いるのが定量的モデルです。

一方、数値化されていない情報（場合によっては主観的な要素を含む）に基づいて、言語（厳密に言えば自然言語、すなわち私たちが日常で用いている言葉）による命題と論理展開によって構成されるのが定性的モデルです。ここでは両者を簡単に紹介し、その特徴を述べます。さらにこれら両者に目配りすることの意義を説明します。

1　定量的モデルとは何か

要素同士の関係を数式を用いて表現する

『広辞苑』（第七版）によれば「定量化」とは「一般的に質的に表現されている事物を数値を用いて表すこと」です。そして用例として「心地よさを定量化する」が挙げられています。定量的モデルとは、そこからさらに一歩進めて、**考察対象を構成する要素の量や性質を数値化した上で、要素同士の関係を数式を用いて表現するための枠組み**です。別の表現をすると、**関数**（**単一あるいは複数の変量を入力すると、単一あるいは複数の変量が出力される仕組み**

のこと）**によって、考えるための枠組みをこしらえる作法**と言ってよいでしょう。

第1章で、都市工学分野のモデル分析の例として、単位時間あたりに交通リンクに流れ込む自動車の台数が増えると走行速度が低下する、という発見からスタートする「交通流のモデル」について説明しました。これは部品として取り出した「自動車の密度」「自動車の速度」という内容から明らかなように、まさに定量的モデルによるものです。

この交通流のモデルではさらに「自動車の密度が決まると速度が決まる」という関係を適当な関数で表すと述べました。定量的モデルでは、ほとんどの場合にこの仕組みを用いるわけですが、関数の具体的な形（関数型）を与える裏付けとなるのは、第一には数学的原理です。それに加えて、対象に依存しますが、物理学的原理、化学的原理、生物学的原理が単一で、あるいは組み合わせて用いられます。

小学生に伝える場合の表現であれば、「定量的モデルとは、算数と理科の知識を用いて、式を作って何が起きているかを表し、物事の性質を理解したり、どうすれば望ましい状態を実現できるかを明らかにするためのもの」と言ってよいでしょう。

天文学で飛躍的に発展した定量的モデル

定量的モデルは物理学（特に天文学）において最初に飛躍的な発展を遂げ、それをお手本にしてさまざまな分野で用いられることになりました。

天文学では天体を質点（面積や体積はもたず質量をもつ点）で表しました。そして、質点同士の力学的な関係をアイザック・ニュートン（１６４２―１７２７）の運動方程式で表現することによって、その動きを突き止めました。その際、宇宙空間が真空であるため、大気の影響を無視することができたのです。物質の大気中での運動は複雑です。たとえば、適当な紙片が手から離れたとき、それが微妙な変形を遂げながらどのような軌道を描いて落下するかをモデル式によって確定することは不可能です。ところが天体に関しては、大気による外乱とは無縁の運動方程式に基づくモデルが上手く機能したのです。

人々はギリシャ・ローマの時代から星々の動きは神の御業によるものと素朴に信じてきましたが、それを物理学者が解明し、定量的モデルによって完璧に再現・予測できるようになりました。このことが人々にどれだけの驚きをもたらしたか、想像に余りあります。それはやがて、人々の定量的モデルに対する、あるいはさらに拡大して「科学的アプローチ」（自然観察と数学によるモデルづくり）に対する万能感をもたらすことにつながったと思われます。

なお、人類史で最古の定量的モデルは、シュメール文明（紀元前3千年ごろ～紀元前2千年ごろ）の碑文に見ることができます。

数学史家の室井和男（1954―）は、楔形文字が刻まれた碑文を読み解き、世界に先駆けてシュメールの数学を解釈した非常に興味深い書物を著しています（中村滋との共著『シュメール人の数学　粘土板に刻まれた古の数学を読む』）。

シュメールの粘土板に記された内容の多くは、行政経済文書であるらしいのです。そうした粘土板のうち公表されているものを網羅的に読み解き、そこに登場する数学を丹念に読み解くことによって、室井はシュメールの数学の概略を記述しています。それらの中で現実世界に役立つ目的合理的な定量的モデルとして、複利計算が明記されていることが実に興味深いのです。

なんと、いまから4600年ほども前に、人類は利子率に基づく目的合理的な定量的モデル（複利計算のモデル）を用いていたのです。その後、シュメールの数学はバビロニア数学に受け継がれ、後のギリシャ文明、さらにはヘレニズム文明へと受け継がれてゆきます。その流れの中には、純粋な数学の系譜とともに、目的合理的な定量的モデルの系譜が確実に存在しているのです。

プレタポルテかオートクチュールか

今日では物理学・化学・生物学といった実験科学のみならず、近代経済学はもとよりのこと、人間の価値観を背景として持つ分野である社会学・心理学といった分野でも定量的モデルが多用されています。

こうした分野では統計学的手法をコンピュータのパッケージソフトウェアによって適用するタイプの分析が多用されています。「重回帰分析」「ロジスティック回帰分析」「主成分分析」「因子分析」「決定木分析」といった定番の手法がそれに相当します。これらのモデル分析は、ファッションでいえばプレタポルテ（仏：prêt-à-porter　英：ready-to-wear）、すなわち既製服に相当し、典型的な道筋に沿って統計学の手法を適用する内容として有効に機能しています。

一方、オートクチュール（仏：haute couture）のモデルとして、職場での仕事を合理的に割り当てる「最適スケジューリングモデル」、多様な状況に対応できる「最適施設配置モデル」、政党支持率の微分方程式モデルによる分析なども数多く行われています。数理物理学分野や電気・電子・機械工学分野のモデルも、このカテゴリーに属するものがほとんどだと思います。オートクチュールとは、一つ一つの服を手縫いで製作するものであり、高度な技術や技能を要する高価格帯の製品です。こちらの定量的モデルには定番のパッケージソフトウェアは使えないので、モデル分析のアート（技術）の修得が本質的に重要です。

筆者が属する、都市のオペレーションズ・リサーチや都市解析といわれる分野でも、プレタポルテとオートクチュールの双方が多用されます。後者の例をいくつか挙げてみましょう。

・都市における地点別の「地の利」(人を集める有利さ)の定量的評価
・住民のコスト負担を最小にする公共施設の数
・児童の通学の安全を考慮しつつ、数十年にわたる市の財政負担を軽減するための小中学校の統廃合計画
・定期連絡船とドローンを連携させる地域配送システムの提案

こうした都市解析の手法をマーケティング分野に援用して、「そのようなものまで定量的モデルで?」と驚かれるようなテーマも追求されています。たとえば、売り上げを最大化する自動販売機の位置決めモデル、チェーン店の新規店舗の適正配置モデルなどにも定量的モデルが活用されているのです。

2　定性的モデルとは何か

定性的モデルは物事の分類、因果関係、時間的前後関係といった要素を、言語によって表現します。そして**言語によって記述される**（真であると判断できる）**「命題」の集合をつくり、それに基づく論理操作によって物事の本質を理解したり、ある目的を達成するためにどのように物事に対処すればよいかを明らかにすることを目指します。**

前出の定量的モデルが専ら自然科学の諸分野で発展してきたのと異なり、定性的モデルは社会科学の諸分野や哲学において発展してきました。このうち、社会科学は主に、民族・宗教・地理・歴史的展開を背景とする現象に適用されています。

言語的データから法則を導く

より厳密にいうと、定性的モデルは、真であるとみなされる定性的で帰納的な命題群（これは現実観察に基づきます）からスタートして、論理学的操作を加えることによって演繹的に命題群をつくりだし、そこから有益な結論を導くものです。

……と、ちょっと難しくなってしまったかもしれませんね。ここでごく簡単に、帰納と演繹について補足しておきます。「帰納」とは、非常にわかりやすく言えば「これまでたくさん調べたけど、このことは常に成り立っていたよ。だから、それを法則と呼ぼう」という作法です。一方の「演繹」とは「正しいと思われることを組み合わせて、それまで知られていなかった正しいと思われることを見つけ出す、推論の一種」といってよいでしょう。

話を戻して、さらに具体的に述べてみると、定性的モデルとは、つまり「○○とは△△のことである」という事実を表現する命題や、「○○が生ずるためには△△が成立することが必要である」という必要条件を表現する命題や、「○○が成立するときは△△が生ずることで十分である」という十分条件を表現する命題等々の命題群を用意しておき、帰納的方法（現実を観察することによる判断）、ならびに演繹的方法（他の命題への形式論理の適用）で新たなる真の命題を導く手続きにほかなりません。

世には、定性的モデルにおいては主観的要素や恣意性が入り込んで構わない、という認識もあるようですが、本書ではそうは考えません。**定性的モデルであっても、大切なのは論理的であることです。**

定量的モデルの現実観察は、自然の直接的な計測・実験室での計測・社会実験による計測・各種の統計データの取得によってなされます。それらは程度の差こそあれ、計画的な枠組みの中で条件を整えた上でのものです。そこに誤差論と統計学のフィルターをかけて法則を導き、それをスタート点とするわけです。

これに比して、定性的モデルの場合は、計画的な枠組みで実験を行うことが困難な対象を扱う場合がほとんどです。ですから、法則（つまり帰納的命題）を導くために、限られた統計データしかない中で、大量の先行研究論文や歴史書などを読み漁る必要があります（いわゆる文献学的アプローチです）。社会学では、これに加えてアンケート調査とインタビュー調査が行われます。そうした言語的データから法則を導くためには、非常に高度な分析能力が要求されます。

高度な定性的分析による『自殺論』

定量的モデルが導入される前の経済学は、定性的モデル分析を利用して発展しました。周知の経済学者アダム・スミス（1723―1790）による『諸国民の富』は基本的にこの手法で記述されています。

近代の法理論を支えるための重要な書物である哲学者トマス・ホッブス（1588―1679）の『リヴァイアサン』も、同様に定性的モデル分析によって著されています。『リヴァイアサン』はまさに命題群から構成され、強大な権力を持つ国家の存在を是認しつつ個人の権利を守るという近代の法の精神が述べられています（「リヴァイアサン」とは旧約聖書のヨブ記に登場する超絶的な海の怪物であり、ホッブスは国家が持つ強大な権力をこの怪物に喩（たと）えました）。ただし、演繹の流れに不明な点が多く、筆者には細部を理解することはできませんでしたが。

こうした命題群に基づく演繹の高度な例は、哲学者ルートヴィヒ・ヴィトゲンシュタイン（１８８９―１９５１）の『論理哲学論考』という書物にも見ることができます。

社会学における現実観察に基づく帰納的法則の興味深い例に、社会学者エミール・デュルケーム（１８５８―１９１７）の『自殺論』があります。デュルケームは、お金持ちが経済的に没落すると自殺することがある、というわかりやすい帰納的な事実に加えて、「貧乏な人が突然に大金持ちになると、やはり自殺することがある」という法則を発見しました。そして、そうした法則が「人間というものは自分が所属している集団から切り離されると精神的にだめになってしまう」という重要な命題をもたらしたのです。

デュルケームは、この精神的な孤立による精神の無規範な状態を「アノミー」（「無法律状態」などを意味するギリシャ語に由来）と表現し、「アノミー的自殺」という画期的な概念を発見しました。その後、アノミーによる個人や社会の分析は、米国において非常なる発展を遂げました。こうした高度な質的分析を定量的モデルで展開することは、かなり困難なことのように思われます。

マックス・ヴェーバーによる謎解き

同様に、高度で精緻な定性的モデル分析を、社会学の巨人マックス・ヴェーバーに見ることができます。これについては少し詳しく紹介してみましょう。

マックス・ヴェーバーは自らが創出し発展させた「比較宗教学」という定性的モデル分析（理解的方法と呼ばれます）を通じて、資本主義経済という社会システムが貨幣経済と生産システムの発達、資本の蓄積といった外面的な基盤のみでは成り立たず、キリスト教のプロテスタンティズムの精神が基盤となって初めて生じ得たという、実に大きな発見をしました（『プロテスタンティズムの倫理と資本主義の精神』）。

マックス・ヴェーバー以前には、多くの研究者が、資本主義が成立するための必要にして十分な条件として、①生産力の充実、②資金の蓄積、③貨幣経済の発達を部品として取り出してモデル分析を行い、間違いないと納得していたのです。

在野の社会学の泰斗であった小室直樹（1932―2010）は、「マルクスは産業革命以降に西欧で勃興した近代資本主義を目の当たりにして、『資本論』を著した。教科書にも、資本主義は産業革命後に生まれたと書いてある」と記しています（『経済学をめぐる巨匠たち』）。産業革命以降の西欧の社会を観察すると、確かに①～③の条件が観察されるので、カール・マルクス（1818―1883）をはじめとする多くの経済学者が素朴に信じてしまったのも仕方がないことかもしれません。

ところが、このことに納得しなかったのがマックス・ヴェーバーでした。ヴェーバーは、実はこれら3つの条件が、資本主義発生よりも遥か昔に成立していた例があることを、事実に基づく分析を通じて明らかにしたのでした。大運河時代の英国や隋代の中国では、これら3条件が十分に発達していたにもかかわらず、近代資本主義は生じませんでした。これでは「モデル分析を通じて近代資本主義の必要条件を列挙する」という目的を達成することができません。資本主義発生のためには何かが欠けている、ということです。

ヴェーバーは西欧と米国において資本主義の萌芽が見られた地域とその時代、さらには誰が資本主義的に行動したのかを、文献学的に精査しました。結果として、そこで主役を演じたのが敬虔なるプロテスタントであったことを突き止めたのです。そして、彼らが発揮したエートス（価値観に裏付けられた行動様式）である④資本主義の精神を、資本主義発生のための4つ目の（最後の）必要条件と位置付けました。

資本主義の精神とは、小室の要約によれば、「労働そのものを目的とし、救済の手段として尊重する精神」「目的合理的な精神」「利子・利潤を倫理的に正当化する精神」のことです。

宗教改革後のプロテスタントは、日々の努力と正直さと倹約の美徳が、自らの経済的な豊かさをもたらすことに困惑しました。前述の条件①、②、③が整った社会において、真面目な彼らは普通に過ごしているだけでカトリックの信者たちよりもずいぶんとお金持ちになってしまうのです。

金銭面で豊かになることは、それまでのキリスト教の教えには反しています。利子を要求することも、それまでの教えに反します。教えに反したままだと、いますぐにでも訪れるかもしれない「最後の審判」において、永遠の命を得ることができません。彼らは相当に困ったはずです。なにせ、聖書には「金持ちが神の国に入るよりも、らくだが針の穴を通る方がまだ易しい」というイエスの言葉があるくらいですから。

自らの経済的な繁栄が神の教えに反しない（神との契約を壊さない）ためには、神の教えの解釈に関して、いわば「コペルニクス的転回」が必要になりました。そうして生み出されたのが④資本主義の精神だったというのがヴェーバーによる謎解きです。この精神をバックボーンにすれば、経済的な利益追求の営みが神の教えに矛盾しなくてすみます。自らの行動が神への帰依に矛盾を生じさせないための〝納得のシステム〟としての④資本主義の精神だったというわけです。

余談ですが、天文学における、天王星・海王星・冥王星の発見に、これと同様の物語があります。天王星は1781年に、海王星は1846年に、冥王星は1930年に発見されました（冥王星は2006年の国際天文学連合の惑星定義委員会により、惑星の座から準惑星の座に降格させられました）。これらの3つの星は、既に発見されていた惑星（水星・金星・地球・火星・木星・土星）の運動の観測に基づき、「未発見の惑星が存在しなければ、このような摂動（太陽以外の惑星の影響による本来の楕円軌道からのずれのこと）は起きないはずだ」という認識からスタートして、慎重に観測することによって発見されたのです。

このようなモデル分析は、数理科学の世界で「逆問題」と呼ばれるものです。観測された結果（既知の惑星の摂動）が妥当であるような前提条件（未知の惑星の存在）を、因果を逆にたどって突き止める、という方法です。

筆者は、ヴェーバーは社会学の逆問題を解いたのだと考えます。

定性的モデルの評価と存在意義

定性的モデルの場合、定量的モデルに見られるような厳密性には、どうしても欠ける部分があることは否めません。数学で主張されている定理の真偽は、その数学を一定水準以上でマスターした研究者同士であれば、互いに100パーセント納得できる形で見極めることが可能です。ところが社会学や経済学の定性的モデルの場合、言語表現の解釈が（数学という言語に比べれば）幅を持っているため、ある学者が真であると主張する命題を、別の学者が偽であるとみなすことが往々にして起きうるのです。

このことについては、経済学者の佐和隆光（1942―）が著書『経済学とは何だろうか』の中で、興味深いことを指摘しています。佐和が東京大学経済学部の学生だった頃に、ある教授が講義の冒頭で、「近代経済学は〈科学〉であり、マルクス経済学は、非〈科学〉である」と述べたそうです。そしてその論拠のひとつとして「近代経済学には標準的テキストがあるのにたいし、マルクス経済学にはそういうものが見当らない」と指摘したとのことです。

つまり「標準的教科書が存在することは、〈制度化〉された〈科学〉の要件のひとつではある」というのです。佐和は、さらに「社会諸科学のうちで、標準的教科書の創出に成功したのは、近代経済学をおいて他に見当らない。政治学、社会学などの分野にも教科書はあるにはあるが、とても『標準的（スタンダード）』と言うには値しない」と結論づけます。

確かに、教科書という手間のかかるものが執筆される背景には、学術用語の統一と学者間での共通理解が必要であり、加えて学説が大多数の学者によって支持されていることが要件となります。

こうした事情から、専ら定量的モデルを道具として研究や思索活動を行っている（標準的教科書をもっている）集団の中には、定性的モデルに基づく学問分野を一段低いものとみなし、悪しざまに言う人々がいるようです。しかし、筆者はこのようなものの見方を支持することはできません。

多くの科学者や哲学者が、定性的モデルを定量的モデルよりも劣位にみてしまうのは、やはりマルクス経済学の影響を受けてのことではないかと筆者は考えます。英国の哲学者であるカール・ポパー（1902―1994）はマルクス経済学の手法を痛烈に批判しています。人間社会が歴史的必然として一定方向に流れているという命題を、ごく限られた、しかも追実験できない帰納的観察だけから真のものと信じて、その上に、一見すると緻密に見える命題群を論理展開しているというのです。ポパーはこれを「歴史主義」と呼び、一刀両断しました。いくら緻密に見えても、そもそも学問の入り口で判断を誤っているよ、ということです。

そして、ポパーは「漸次的な工学」（piecemeal engineering）というアプローチを、問題解決のために相応しいものであると主張します。さらに、手法の正当性の必要条件として、検証可能であることを強調しました（マルクスは「労働価値説」という検証不可能な概念を、あたかも真であるかのごとくに扱っています）。

現在の私たちの科学研究は、基本的にポパーのいう条件を満たしたものであると思います。別の表現をすれば、それを満たしていないものは、近代の学問の流れの中で淘汰されてしまったのです。しかし、ポパーの刀はあまりにも切れ味が尖すぎたため、ハイレベルの社会学者たちの研究にも懐疑の目を向けさせることになったのではないか、というのが筆者の見立てです。

定性的モデルが上手く処理できない研究対象の中には、定量的モデルを適用することによって解明することが可能なものも相当数あるかもしれません。しかし、世のモデル分析のすべてを定量的モデルで受け持つことができるかというと、それは無理な話です。それは前出のデュルケームのアノミー的自殺やヴェーバーの資本主義の精神のモデル分析の例が見せてくれている通りです。

3 他方を見ることも大切

過去の定性的モデルを定量的モデルで甦らせる

読者の皆さんは、ご自分が学びつつある（こしらえつつある）モデルが、定量的モデルか定性的モデルのどちらであるかを意識し、他方のモデル分析を導入すればさらなる発展が得られないだろうか、という問題意識を持つとよいかもしれません。

特に、過去の定性的モデルに基づく研究成果や著述に目を向けて、そこに定量的なモデルを適用したら実りある研究を行うことができるかもしれない、という視点が重要です。これに関しては、筆者が専門とする都市工学に関連する2つの例と、経済学と考古学の例を紹介します。

1つめはマーケティングという学問分野の例です。この分野の過去の研究に、このような状況でここにお店を出すと繁盛しますよ、といった定性的な記述が数多く残されています。それらは帰納的な定性的命題です（現実の出店状況を数多く観察すると、大体はそうなっている、という内容です）。

一方、都市工学の分野には、歩行者が目についたお店に〝ある確率〟で入るという、現象を記述するための定量的なモデルが存在します（「介在機会モデル」や「非集計ロジットモデル」といったものがそれに当たります）。こうした定量的モデルを用いて、過去のマーケティング分野の定性的研究が述べてくれた成果を、明確で今日(こんにち)的な形で甦らせることが可能なのです。

このようなモデルに最適化理論を適用することによって、都市内の各地点が人を集める点としてもつ有利さ（いわば地の利）を明らかにすることができるのです。現在では、こうした定量的なマーケティングモデルが世界中の研究者によって開発されつつあります。そうして生み出されたモデルに基づき、新規店舗の出店計画に関するコンサルティングが民間の調査・研究会社によって提供されています。

将来予測ができるようになった地理学

2つめの例は、これも筆者の専門に近い地理学です。地理学は古来より、主として定性的モデルを背景に発展しました。しかし、1950年代後半から1960年代の初頭にかけての欧米で、定量的モデルによって地理学研究を行おうというムーヴメントが起きました。地理学者はこれを「計量革命」(quantitative revolution) という少し大げさな名前で呼びます。

もともと地理学には、定性的モデル以前に、博物学的側面があったはずです。世界の国々とその首都の名称と位置の網羅的な記述、河川の名称とその長さならびに流域の地図表現の蓄積、地域や国家が産出するさまざまな資源の種類と量、それを支える気候の様子……といった具合です。

そしてそれに基づく定性的なモデル分析が行われました。地域や国家の経済の根幹をなすさまざまな製品や資源の輸出入量が、背景となる地理的な条件によって規定されるさまを定性的モデルによって表現する、といった具合にです。世界の有りようを理解し、さまざまな社会経済的な対策を立てるためにも重要な学問でありました。19世紀初頭から20世紀初頭にかけて世界随一の覇権国となり、「太陽の沈まぬ国」とか「パクス・ブリタニカ」

（英国による平和の意、ラテン語：Pax Britannica）とか称せられた英国において、地理学が非常なる発達を遂げたことが、あらためて理解できるでしょう（帝国主義は地理学を必要とします）。

そうした、ある意味で学問的に安定した地理学に、定量的モデルを地理学的な情報に適用することによって意味のある結果をもたらそう、という新しい方法論が導入されたのが計量革命です。そこではまず統計学的アプローチが導入されました。しかし、本質的な発展を遂げたのは、それに続く統計物理的なアプローチ、空間経済学的アプローチ、そして地理情報科学的アプローチ、という定量的モデル分析が適用されるようになってからでした。多面的な作法が次々に適用され、それまでの地理学とはまったく趣の異なる研究論文が大量に執筆されるようになったのです。

もともと英国には、地域間の移住の統計データが存在しており、それに基づく定性的な分析は行われていましたが、計量革命後はこうしたデータに「空間的相互作用モデル」という（物理の統計力学に立脚した）モデルが適用されるようになりました。

これらの定量的モデルに基づけば、移住の様子を再現することができます。それのみならず、積極的に将来の移住の有りようを予測したり、交通システムの発展が移住にもたらす影響を推定することもできます。こうした計量的な地理学的モデル群は、それまでの地理学のあり方を大きく変えました。地理学を、積極性を有する工学的学問へと生まれ変わらせたのです。定性的モデル分析の対象を、定量的立場から再構成しよう、という眼差しが大きな役割を演じたことが理解できますね。

3つめは、筆者の専門からは外れますが、ロンドン大学で活躍した世界的経済学者の森嶋通夫（1923―2004）が、定性的モデルであるマルクス経済学を数学によって再構成するという研究を行ったことが、前出の社会学者・小室直樹によって紹介されています。カール・マルクスは数学ができなかったらしいのです。

他にもこうした例はさまざまに存在します。考古学への放射性同位元素による年代測定法によるアプローチもその一つです。この定量的分析によって、それまで英国の考古学で真偽のほどが懸案となっていたアーサー王の円卓が偽物であったことが解明されたことをご存じの方もいらっしゃるのではないでしょうか。いまやこの定量的モデルは考古学における必須のツールとなっているようです。

定性的モデルを定量的モデルとして甦らせる、という研究作法が存在する、そうした研究の可能性が大いにあることをぜひイメージしてください。

第３章　いつか役立てるか、いま役立てるか

——普遍的法則を追求するモデルと個性的な個体を把握するモデル——

私たちが何かについて学び、知識を得たとき、それがさまざまな事物と状況に対して成り立つ汎用的なものであるのか、それともある特定の事物が置かれた状況に固有のものであるのかが、とても気になるところです。汎用的な知識というものは、それを特定の事物と状況に当てはめる手間はかかるものの、将来にわたってずっと役立ち続けてくれる可能性をもったうれしい存在です。一方、固有の事物と状況に対する知識は、直ちに役立てることが可能な、これまたうれしいものですが、少し異なる別の状況下では、まったく役に立たないかもしれません。

また、私たちが自らのモデル思考を通じて手に入れるべき知識が、汎用性をもつものであるか、特定の事物と状況を説明するものであるか、これも大変に重要なことです。

このような、知識というものの相異なる2つのあり方に、過去の学者たちも気づいていました。その内容は、前章で紹介した社会学者マックス・ヴェーバーの研究方法論にも見ることができます。それは、普遍的原理を追求するモデルか、個性をもった個体の行く末を追求するモデルか、という分類法です。ヴェーバーは哲学者ハインリッヒ・リッケルト（1863―1936）の科学認識論にしたがって、この分類を自身の研究方法論として用いていました（大塚久雄『社会科学の方法　ヴェーバーとマルクス』）。

知的生産物を読むとき、それがこの2つのうちのどちらであるかを見極めておくことはとても大切なことです。それによって、どのような知識を得ることになるかを把握した上で、適切に学ぶことができるからです。さらには、自らが知的生産を行う上でも大変に重要です。考察対象を前にして、自分がどちらのモデルをつくるのか（つくりたいのか）を見極めることによって、それに相応しい知識と分析技術を身に着け、研究計画を立て、適切な方法を選択することにつながるからです。

1　普遍的法則を追求するモデルとは何か

ニュートン力学の破綻

ここで取り上げるのは、**普遍的に成立する法則や原理を解明することを目的とするモデル**であり、より厳密にいうと「普遍的に妥当する関係概念としての法則を追求するモデル」となります。**理科系の言葉でいえば「理学」に相当するもの**です。その典型を物理学に見ることができます。物理学において追い求められる法則というものは、ある状況下でのみ成り立つものではなく、普遍的に成り立つことが要求される——このことをご存じの皆さんも多いでしょう。その典型であるニュートンの運動法則を記してみましょう。

第1法則　静止あるいは等速度運動中の物体は、外力が加わらないかぎり、その状態を続ける〈慣性の法則〉

第2法則　物体の加速度は加わる力の大きさに比例し、物体の質量に反比例する〈これを式で表したものが運動方程式〉

第3法則　二つの物体が相互に及ぼす力は大きさが等しく、方向は反対である〈作用反作用の法則〉

これらの法則は地球上だけでなく、宇宙空間の至るところで（少なくとも物理学者の観測の及ぶすべての範囲において）成立します。これらの法則に基づく制御ができるからこそ、米国の科学者はアポロ計画を通じて月面に到達することが可能だったわけです。また、本邦の小惑星探査機「はやぶさ」が小惑星「イトカワ」から、「はやぶさ2」が小惑星「リュウグウ」から表面の物質サンプルを地球に持ち帰ることに成功したのも、ニュートンの運動法則に基づいた計算が行われたからにほかなりません。

しかし、異なる慣性系に属する観測者の相対的な運動に着目するとニュートン力学が破綻することが解明され、より普遍的な相対性理論がアルベルト・アインシュタイン（１８７９―１９５５）によって構築されました。また、極微の世界での普遍的な原理として量子力学が構築されています。そしていま、これらすべてを包含する普遍的な「統一理論」の構築に向けて理論物理学者が努力を続けているのは、私のような門外漢でもよく聞くところです。

命題を覆した「異常な戦争」

この理論物理学の例に見られるような「普遍的法則」を追求する営みは、理論物理学とは程度の差こそあれ、さまざまな学問に見ることができます。

定性的モデル分析が追求する、普遍的な法則の例として、カール・フォン・クラウゼヴィッツ（1780―1831）の『戦争論』を挙げておきましょう。

プロイセンの将軍であったクラウゼヴィッツは、その経験と過去の戦争の歴史の渉猟により、戦争と軍事戦略に関する書物『戦争論』を著しました。この書物は戦争や国際政治の分野の研究者や実務家にとって重要な書物であり、多くの解説書が出版されています。クラウゼヴィッツが主張した重要な普遍的帰結のひとつに、「戦争とは他の手段をもってする政治の継続である」という命題があります。

①2つの国の間に経済的な紛争が生ずる

↓②それを通常の外交的手段をもって解決しようとする努力が両国間でなされる
↓③どうしても外交的手段では解決できない
↓④どうしようもないから戦争によって紛争を解決することを目指す

このようなプロセスが普遍的に存在していることを帰納的な分析によって導いた訳です。すなわち、戦争というものは政治の延長（に過ぎない）、という認識を与えたのが画期的な成果だったのです。

ここで興味深いのは、この命題が普遍的ではなくなったという指摘がなされていることです。たとえば軍事史家の黒野耐（たえる）氏（1944―）は、著書『「戦争学」概論』の中で、クラウゼヴィッツの説に対して「『政治』が理性的、合理的に作用し、抑制要因として働くことが前提となっている。ところが現実には、『政治』が民衆のはげしい要求に押されて感情的になったり、または戦争に無知であったりすることがしばしばある」と指摘し、19世紀末までの政治的状況と第1次世界大戦、第2次世界大戦以降の政治的状況に齟齬（そご）が生じた結果、クラウゼヴィッツの命題が普遍性を失っていることを述べています。

この状況、すなわち真っ当な政治的判断とは関係なく戦争という手段がとられてしまう（あるいは意味なく戦争が継続されてしまう）、という現象は、太平洋戦争末期の日本の意思決定に見られます。すなわち、米国によって原油の輸入を封鎖されてしまったことに端を発して、我が国の経済ひいては国民を守るために始めた戦争であるにもかかわらず、最終局面になると軍部が「一億玉砕」を叫んでしまう——国民の生命と財産を守るために始めたはずの戦争なのに、全国民に「玉砕せよ（潔く死になさい）」と呼びかける政治判断です。

そこにはクラウゼヴィッツが前提とした政治の目的合理的判断など微塵も存在しません。なんという異常事態だったのでしょう。このような目的合理性からの逸脱は、一つには社会学の概念である「フェティシズム」によって説明できそうです。

フェティシズムについては第8章「モデル分析を支えるキー概念」で詳述しますが、その本質を一言でいうと「倒錯、手段と目的の転倒」です。太平洋戦争末期の日本の参謀本部は、まさにこの状態だったものと思われます。戦争の本来の目的は「日本が石油を始めとする産業に不可欠の資源を確保すること」だったのに、いつのまにか「戦争を続けること」が自己目的化してしまいました。恐るべきことに「何が達成されたら戦争を止めるか」という行動計画がなかったようなのです。国力を維持し国民の幸せを実現するための戦争のはずが、戦争末期に生み出されたスローガンが「一億玉砕」なのですから……。この矛盾に気づかなくなってしまうのがフェティシズムの実に恐ろしい点です。

その後、政治的に妥当な判断を伴わない戦争は、イラン・イラク戦争はもとより、9・

11（米国同時多発テロ事件）以降の宗教的対立に端を発するテロリズムを通じて、世界中でますますエスカレートしているように筆者には見えます。

物理学や戦争論の例を通じてわかるように、定量的にせよ定性的にせよ、普遍的命題が発見されたと思ったら、次の瞬間にはそれを覆す現象が観察されてしまうことが、しばしば生ずるのです。このことは学問の宿命といってよいでしょう。否定された普遍性を新たなる観察（帰納的方法）とアイデア（演繹的方法）によって取り戻すことこそが学問の本筋なのです。そして、そのために必要なのが、モデル分析による飽くなき普遍性の追求であることは言うまでもありません。

2　個性的な個体を把握するモデルとは何か

代表的なモデル例が「台風予測」

前出の普遍性を追求するモデルの対概念となるのが、個体を把握するためのモデルです。もう少し硬めの言葉で詳しくいうと、「歴史的な意義をもつ個性的な事物概念としての個体を把握するためのモデル」です。要は、**普遍的な原理や法則は解明できなくてよい、目前の考察対象となる個体の特徴や行く末が把握できれば十分である**（つまり、いま実際に役立て

ばよい）という考えに沿ったモデルのことです。これは**理科系の言葉でいうと「工学」に相当するもの**です。

個性的な事物概念としての個体の一例は、台風です。上陸するであろう台風を目前にして最も大切なのは、位置、暴風域、気圧の時間的な推移の予測にほかなりません。ことと次第によっては、我が国の国土に風水害がもたらされ、人命に危険が及ぶおそれもあるからです。その意味で、台風という個体は、まさに歴史的意義をもっています。

台風を目前にして、「台風とは何か」「台風発生のメカニズムはいかなるものか」といった普遍性を追求するモデル分析を行ってもほとんど意味がありません。そうした理学的研究は日頃から地道に進めておくべきです。大切なことは、天気予報に間に合うように台風の行く末を望ましい精度で予測するためのモデルを運用することにほかなりません。その際、古来より言い伝えられた「ネコが顔を洗うと雨が降る」といった帰納的観察に基づく定性的なモデルは今日では用いられず、定量的なモデルが利用されています。

具体的に、気象庁のホームページで公開されている気象庁予報部の「台風予報の技術」（台風に関する技術講習会、平成21年10月29日）を見ると、台風の予測は「高解像度全球モデル」といった、大気を水平と鉛直の両方向に、ある細かさで切り分けてできる有限体積の部分同士の相互作用を物理法則に則って記述するモデルを基盤としていることがわかります。

これは「有限要素法」と呼ばれる数理解析の手法です。それに加えて、台風の予報円の予測は統計学的なモデルも加味して行われているようです。

理学と工学の両輪

定性的モデルにも、もちろん個体の個性を追求するものがあります。たとえばそれは、国際紛争の行く末を考えるためのモデルです。前述の台風の場合と同様ですが、勃発した国際紛争を前にして、「紛争とはそもそも何か」という普遍的事実を追求しても、あまり得るところはありません。

それよりも、紛争のアナリストは、①紛争の直接的原因と遠因、②当事国の政情と政治的指導者の情報、③紛争の現況、④当事国の武力、⑤当事国を支える他国の勢力、⑥国際経済における当事国の寄与の度合い（資源の輸出入も含めて）といった情報を整理した上で、帰納的・演繹的に推論を加えるモデルを構築しているように見受けられます。そして、Ⓐ今後の紛争の展開予測、Ⓑ関係諸国の対応の予測、Ⓒ国際経済への影響の短期・中期的予測、Ⓓ紛争の拡大・縮小の予測といった出力を目指すわけです。

もちろん紛争の分析モデルとして、過去の帰納的・演繹的研究から導かれた普遍的な命題というものもあるに違いないでしょう。しかし、普遍性というものは本来的に、考察対象物の個性を取り去ってできる抽象度の高い状態を説明するものです（このことは非常に大切な認識です）。前述（P56）の通り、重力の法則によって大気中で紙片が落ちる様子を記述することが不可能であるのと同様に、個性的な紛争を、紛争に関する普遍的な命題で説明し、時間的推移まで精度良く分析することは困難でありましょう。このことから、同じ考察対象に対して、普遍性を追求するモデルと個性を追求するモデルの両者が、車の両輪のように作用して、私たちの思考sを支えてくれているという示唆が得られます。

すでに述べたことですが、普遍性の追求と個体の把握は、理学と工学という切り分けと同様の対概念です。理学と工学の2つも、これまた車の両輪のように作用し、私たちの思考を支えてくれています。

普遍的な原理を追求する場合は、現象の色々な側面を可能なかぎり削ぎ落として、単純化することになります。その意味で、すぐにではなく、いつか役に立てるぞ、という意志に支えられた知的貢献といえるかもしれません。一方の個性的な個体を把握するモデルは、普遍的である必要がないので、個別の事情を上手く反映した分析を行うことになります。こちらは、いま役立てることを目指すわけです。

ここであらためて、理学と工学について、筆者の考える定義を述べておきます。

理学（英：science）とは本来、自然科学の一分野であって、自然界の現象を観察することにより物質の構造を特定し、物体の運動や物質同士の相互作用に見られる法則（いつも成り立つパターン）を発見し、さらにはその原理（法則や構造の説明モデル）を追求するものです。その代表例は物理学・化学・生物学といったものになります。一方、工学（英：engineering）とは理学的な原理に基づき、人間の目的を達成するための上手い方法を追求するものです。私たちの周りには、実に多様な○○工学が存在します。

このように述べると、理学と工学の役割分担が明確になされているように思われるかもしれませんが、実はそうでもありません。理学的な発見の背後には、こんなことができるといいのになぁ、といった人間くさい（工学的な）思惑が存在している場合が多いし、また工学の営みの中にも、多くの場合、観察に基づく法則発見の営みや原理の探求が含まれているのです。そこで筆者は、**理学的＝現実観察に基づく発見と原理解明の営みを目指すやり方、工学的＝人間のさまざまな欲求を満たすための科学的な営みを伴うやり方**、と説明することにしています。**理学と工学の双方の中に、理学的な営みと工学的な営みが併存し、それらが密接に連関している**という次第です。文科系の学問の中にも、この理学的側面と工学的側面が存在します。

理科系の学生で、理学分野と工学分野のどちらに進もうかと悩んでいる人がいたら、「自分は普遍性の追求と個体の把握のどちらをやりたいのだろう、自分に向いているのはどちらだろう」と、まずは自分自身に問いかけるべきだとアドバイスをしたいと思います。文科系であっても、専門分野を選んだり研究室を選択する場合には、普遍性を追求するか個体性を追求するかを熟慮のうえ、進路を決めるとよいでしょう。

ただし、後で理学と工学（普遍性の追求と個体の把握）を行き来することも可能です。そして理学分野の研究にも工学的な営みが存在するし、工学分野の研究にも理学に近いものとそうでないものがあります。だから、どちらに進むかを悩み過ぎる必要はありません。自分の理想の立ち位置に移ってゆけばよいのです。私たちの人生はあまり長いものではないかもしれませんが、そのくらいのやり直しの余裕は十分にあるものです。

3　子供を交通事故から守るための個体モデルと普遍モデル

〈個体モデル〉危険回避のための即応的な対策

ここからは「路上を行き来する子どもたちを交通事故から守る」という課題を取り上げてみましょう。こうした課題に関しても、個体を追求するモデルと、普遍性を追求するモデルが存在します。

通学中の児童たちが、自動車交通のせいで危険な目にあっているものとしましょう。このときに私たちがまずなすべきモデル分析は、部品として、①子供たちの通学ルート、②登下校時の自動車交通量、③通学ルート上の危険箇所、④子どもたちを自動車との接触から守る手立て、⑤関係する行政担当者、⑥警察、といったものを取り出し、それらについて情報を収集することから始まります。

地図により危険箇所を特定し、そこで子供たちがひどい目に合わないようにする手立てを網羅的に列挙し、その中から、予算的に可能で即効性のあるものを選定します。その手立てを実現するために警察や行政担当者に依頼すべき点も明らかにすることになるでしょう。こうした質的なモデル分析を行ったうえで、次のような具体的な対応策を導き出すことになります。

- 子供たちに危険回避の作法を教える
- 付近が通学路であることを示す掲示板の設置と路上への書き込みを行政担当者ならびに警察に依頼する
- ガードレール等の設置を依頼する
- 学校関係者や保護者が路上の要所で監視活動を行う

これらは目前の危険から大切な存在を守るための、とても重要な営みです。目前にある環境の中にいる子供たち、という個性的な事物概念としての個体を放置すると何が起きるのかを網羅的に考察し、危険性の芽を重要なものから順につぶしてゆく、という営みとも言えます。

〈普遍モデル〉交通事故発生の根本原因と「近隣住区論」

前項では、子供たちの危険をある地区に固有の特別の問題として把握し、対応策を考えましたが、この問題を一国の都市構造に内在する普遍的なものであると捉えると、話はかなり異なる展開を見せることになります。

すなわち、どうして路上の子供たちが全国のいたるところで自動車に脅かされているのかを、根本に遡(さかのぼ)って考えるのです。すると次のようなことに気づきます。

①そもそも歩行者と自動車が同じ道路空間を共有した都市構造が実現されている
②一個の人命と社会の経済活動とでは、後者が重視される社会背景が存在する
③自動車（という機械）と道路（というインフラストラクチャー）の組み合わせが、そもそも不完全である

こうした認識からスタートして、普遍化・一般化への一途をたどる、という営みも存在するのです。具体的な学問の方向としては次の通りです。

①歩車を分離する都市設計法の研究（その最重要な成果が後述する「近隣住区論」）
②現代社会の非連帯の社会病理学的研究
③自動車の安全走行に関するソフト・ハード両面からの研究（車載安全システムならびに自動運転技術）

ここでは、①に相当する、アメリカでの有名な研究成果である「近隣住区論」を紹介しましょう。

20世紀の初頭、米国ではモータリゼーションが急速に進展しました。ヘンリー・フォード（１８６３―１９４７）がオートメーションを発明して世に送り出した「T型フォード」が爆発的に売れたのを、ご存じの読者も多いことでしょう。自動車道が次々に建設され、地域は道路によってセル状に分割されることになりました。

このような状況下で、路上で子供が自動車にはねられる事故が相次ぎました。１９２６

年に、ニューヨークのマンハッタン島において交通事故によって死亡した子供の数は20人でした。死に至らないまでも、大きな怪我を負った子供の数も相当なものだったでしょう。

社会学者であり都市計画家のクラレンス・ペリー（1872―1944）は、社会調査に基づくモデル分析を通じて、この都市問題を解決するための地区設計法を提案しました。それが今日でも世界中の地区計画の基本技術となっている「近隣住区論」というものです。わが国でも、ニュータウンの設計等では、基本的に近隣住区論のアイデアが採用されています。

ペリーは調査対象地区の世帯に関して、そこに出入りする全員（夫・妻・子供たち・やってくる配達員等）に対する1週間の行動調査を行い、世帯を起・終点とする各人の移動パターン（どことどのような頻度で行き来しているか）を把握しました。移動パターンのモデル分析です。これによって、子供が学校、遊び場、お使い、友達の家、買い物や遊技場に、比較的高い頻度で訪れていることを定量的に把握できます。

これを子供が事故にあった状況と照らし合わせるのです。子供が車にはねられるのは、主として車道を横断しているときです。子供が頻繁に訪れる施設に、幹線道路を横切らずに行くことができれば、不幸な事故を本質的に減らすことができるでしょう。ペリーは、それを実現するための地区設計を考案したのです。

その際、自動車社会を否定するのではなく、住民が幹線道路に取り巻かれた地区に居住することを宿命（つまり制約条件）とみなして、設計を進めました。そして、この（内部には幹線道路が走っておらず、通り抜けもできない）閉じた地区を「近隣住区（neighborhood unit）」と名付けました。

具体的には、近隣住区ごとに、小学校・運動場・遊び場・地域の店舗といった都市施設を設けます。こうすれば、子供たちは日々の暮らしの中で、むやみに幹線道路を横切らなくてすみます。そして、近隣住区の内部に商品の搬入トラックが入り込んで、子供たちを含む全住民に害を与えないように、商店や市場は幹線道路に面した、住区の外延部に配置します。さらに、住民の家と幹線道路をつなぐ細い道はクルドサック（袋小路のこと、仏語：cul-de-sac）とし、自動車を運転する住民が、むやみにスピードを出すことができない工夫も盛り込みました。

近隣住区は、そこに住むすべての人々にとって便利であるように規模を決め、内部の都市施設を準備し、施設の望ましいキャパシティも設計に盛り込みます。

このペリー博士のアプローチは、人間の住み暮らす社会の習慣・経済・文化という人為を背景とするものですが、目的合理的な調査によって普遍的な性質を解明したうえで、それを設計に反映するというものでした。少し硬い表現をすれば、理学的モデル分析を工学的な設計へと昇華させた、と述べることができます。

先に述べた通学路の安全を確保するための個別の対策は、日常を支えるための刹那的な努力です。近隣住区論にみられる普遍性追求の営みは、中・長期的な都市構造のあり方を模索するための学問研究と言えましょう。前者は目前で困っている人々に即座に手を差し伸べる、善き人間性の発露であり、後者は都市構造そのものに手を加えることによって、時間をかけて人々の幸せと安全を確保する志の向かうところです。

社会を支えるためには、これら2つの営みの双方を進めてゆくことが大切なのです。

第4章　ざっくりと切り分けるか、細部を見るか

――マクロモデルとミクロモデル――

この章で紹介するのは、モデルをつくる際の解像度による分類です。粗視化のレベルによる分類といってもかまいません。マクロモデル、メゾモデル、ミクロモデルといった言葉を耳にしたことがおありではないでしょうか。同じ考察対象に同じような道具立てでアプローチしてモデルをつくる場合でも、設定する解像度の相違によって、かなり異なるモデルが出現することになるのです。

マクロはmacro-という接頭語であり、macroscopic（マクロスコーピック＝巨視的な）の省略形でもあります。**物事やさまざまな現象を大きく切り分けた部分同士の関係性に着目して捉える作法**を示します。

メゾはメソとも表記され、meso-という接頭語であり、mesoscopic（メゾスコーピック＝中間視的な）の省略形でもあります。物事やさまざまな現象を中くらいに切り分けた部分同士の関係性に着目して捉える作法を示します。声楽のメゾソプラノのメゾと同様の接頭語です。マクロとミクロがあってこそのメゾであり、あくまでも相対的な表現であるため、学問の世界でメゾモデルという言葉が用いられることは、実はあまりありません。

最後のミクロはマイクロとも表記され、micro-という接頭語であり、microscopic（ミクロスコーピック＝微視的な）の省略形でもあります。**物事や現象を細かく切り分けた部分同士の関係性に着目して捉える作法**を示します。

巨視的な（大きく切り分けた）、中間視的な（中くらいに切り分けた）、微視的な（細かく切り分けた）、という3者によるモデルの分類は、この曖昧な表現からおわかりの通り、あくまでも相対的なものです。同一の研究対象に関するマクロモデルとミクロモデルの実例を見ることによって理解を深めていきましょう。

1 経済学におけるマクロモデルとミクロモデル

両者でかなり異なるモデル構造

まず最初は、経済学におけるマクロとミクロです。

多くの皆さんが国民経済の現状と行く末に関心をもっており、新聞等のメディアにおいても「来年にかけてのマクロ経済的な見通しは……」などと取り沙汰されるので、「マクロ経済学」は人口に膾炙（かいしゃ）した名称と言えるでしょう。一方の「ミクロ経済学」の方はそれほど周知ではないかもしれません。

前者は一国の集計された経済指標を取り上げ、それらの間に成り立つ相互連関の関係に基づいて有益な情報を取り出す学問です。一方、後者は社会を構成する消費者や企業といった意思決定の主体に焦点を当て、それらの合理的な経済行動に基づくモデルを通じて、財の価格が決定するメカニズム等を明らかにします。ともに経済を考察対象にしてはいても、かなり異なるモデル構造となっており、相互補完的に活躍する2つの重要な学問です。なぜマクロとミクロという名前が冠せられているのか、が伝わるように説明してみたいと思います。

マクロ経済学の基本的モデル

マクロ経済学はマクロモデルの典型的で代表的な一例です。これは世界を国家のレベルに切り分け、一国の国民経済を分析対象にするものです。国民経済とは、その国の全体的な経済活動のことを指します。

マクロ経済学の最も基本的なモデルとして有名な「最単純ケインズモデル」を紹介してみましょう。

着目する部品は、〔消費〕（国民が一定期間に消費した財・サービスの総額）、〔投資〕（政府が国家の利益や公共の福祉のために一定期間に行う投資の額）、〔国民生産〕（国民が一定期間に生み出した、すべての財・サービスの市場価値の総額）、〔国民所得〕（国民が一定期間に得た所得の総額）の4つです。国民生産は国民所得に等しいものとします。

これらに関して、次の関係が成り立ちます。

・［国民生産］ならびに［国民所得］は、［消費］と［投資］の和である（これを「有効需要の原理」といいます）

・［消費］は［国民所得］に［定数］を掛けたもので与えられる（当然のことですが所得に応じて消費するのです。消費しない分は貯蓄に回されます）

この［定数］は国民が所得のうち、どの程度を［消費］（買い物）に回すかを表しており、ゼロより大きくて1未満の数です。これが大きいほど、国民はおおらかにお金を使うことになります。経済学者は、この［定数］に［限界消費性向］という難しい呼び名をつけています（筆者は「もっと簡単に〝消費率〟とでも呼べばいいのに」と思ってしまいます）。1から［限界消費性向］を引いたものは、所得のうち貯蓄に回す率です（これも経済学者は［限界貯蓄性向］と難しく表現します）。

この単純なモデル（つまり、［国民所得］が［消費］を決め、［消費］が［国民生産］を決めるという相互連関の論理）のもとで経済の均衡を記述するのです。

この関係から［国民所得］と［消費］が次のように求められます。

・〔国民所得〕は〔投資〕を〔限界貯蓄性向〕で割った値になる（これを投資の「乗数効果」といいます）
・〔消費〕は〔投資〕に〔限界消費性向〕を掛けて〔限界貯蓄性向〕で割った値になる

例として〔限界消費性向〕を0・7とし、〔投資〕を150兆円としてみましょう。定義により、〔限界貯蓄性向〕は0・3です。このとき、国民経済の均衡解として〔国民生産〕ならびに〔国民所得〕は500兆円、〔消費〕は350兆円になります。投資額の何倍もの国民所得がもたらされることがわかります。

これが経済学者ポール・サミュエルソン（1915―2009）が記述した最単純ケインズモデルです。

筆者は大学2年生のときの授業「経済原論」でこの定量的モデルと、それを発展させたモデルを教わりました。マクロ経済学はこのような基本モデルからスタートして膨大なモデル体系をつくり、そこからさまざまな有益な情報を引き出します。たとえば、国民への公的資金援助という投資を行って景気浮揚を目指そうとしても、限界消費性向という定数が小さいと（つまり国民の多数が手にした補助金を貯蓄にまわしてしまうと）、初期の目的が達せられない、ということが理解できるのです。

このように、マクロ経済学は1つの国全体でのいくつかの経済規模を表す部品を対象にしてモデルをつくるのであって、まさに巨視的な（マクロな）ものであることが理解できます。こうした枠組みを用いて、国家の投資の増額が乗数効果という仕組みによって投資額の何倍にもなって返ってくることが記述できるのです。

1930年代の世界恐慌時に、米国の大統領フランクリン・ルーズベルト（1882―1945）が、このケインズモデルに基づく公共投資（ニューディール政策）によって不況克服に成功したことを、ご存じの読者も多いことでしょう。アドルフ・ヒトラー（1889―1945）が国民社会主義ドイツ労働者党（ナチス）の党首として政権を盤石のものにできたのは、経済相兼ライヒスバンク（ドイツ中央銀行）総裁ヒャルマル・シャハト（1877―1970）がケインズ政策と同様の公共投資を行って（代表例がアウトバーンの建設）、大不況を克服したからです。

また、自由貿易の下では、国が互いに比較優位な製品を相手国に輸出することによって、双方の経済が発展するという、経済学者デヴィッド・リカード（1772―1823）が発見したマクロ経済学の定理もよく知られています。

マクロ経済学の例に見られるように、**マクロモデルとは、物事や現象を大きな枠組みで**

集計してざっくりと把握し、厳密な論理で分析することによって有益な知見を得ようとするものです。社会変動を階層・権力・地域社会・集団の4つのカテゴリーに分解してモデルをつくるマクロ社会学、マクロスケールでの生物と環境の関係性を分析するマクロ生態学、の例にもみられるように、さまざまな学術分野でマクロモデルが思考のための道具として用いられています。

まったくの余談になりますが、前述の「限界消費性向」「限界貯蓄性向」のような言葉を「ジャーゴン」といいます。英語ではjargonといい、特定のグループの中でしか通じない用語のことです。部外者にとってはわけのわからない〝ちんぷんかんぷん〟な言葉を意味するのにも用います。

どのような学問体系にも多かれ少なかれジャーゴンがちりばめられているのですが、経済学の場合、特に〝ジャーゴン感〟にあふれた用語が多いように筆者は思います。限界効用逓減の法則、流動性選好、無差別曲線、といった具合です。これらは普通の数学概念で置き換えれば、まったく難しくない内容ですが（たとえば「限界」とは数学用語の「微分」のことです）、初めて目にするとギョッとしてしまいます。読者の皆さん、新しい学問にチャレンジするときの、最初の関門がジャーゴンです。むやみに恐れることなく、それを一般人が普通に用いる言葉で置き換えつつ学んでください。

個人の行動をモデル化するミクロ経済学

一方、ミクロ経済学は解像度を上げ、個人（消費者）や企業の経済行動に焦点を当てて市場のメカニズムを分析します。消費者と需要、企業と生産、市場での需要と供給、企業による市場の独占や寡占、公害（外部不経済）と公共財、といった対象を定量的に分析するモデルをこしらえるのです。その際、消費者にしても企業にしても、限られた貨幣価値による制約の下で、自らの満足を最大化すべく行動するものと想定します。この満足を測るための道具が「効用関数」というものです。

個人が消費する財の量が効用関数という満足度の値を決めるものと仮定するのです。これはもちろん作業仮説（研究や実験などの過程で暫定的に有効とみなされる仮説）です。なぜならば、私たちの心の中を探しても、効用関数の具体的な形など見つからないからです。それでも、満足度を表す関数というものがあるとすれば、それはどのような性質を持っているべきか、ということを、人間の欲求充足のされ方に目配りしながら数式で表現したものが効用関数です。

この「直接的に計測することができない指標（この場合は効用の値）に関わる作業仮説を設

けて演繹的手続きを施す」という営みが科学を支えていることを、私たちは強く認識すべきです。それは今後の科学の発展をも下支えしてくれる方法論にほかなりません。

もちろん、手にすることができる財の量が増えると、効用関数（満足度）の値は大きくなるべきです。ただし、手にする財の量がやたらと増えても、満足度はそれに比例して増えるわけではなく、段々と頭打ちになるはずです。

たとえば、リンゴが大好きな人が手にする量が1個から2個に増えたら、とてもうれしいに違いありません。しかし、同じ1個の増加でも、リンゴが100個、手許にあるときに101個になっても、うれしさはほんの少ししか増えないでしょう（これを「限界効用逓減」の法則といいます）。

効用関数は、そうした人間の心理を合理的に反映するような数式として準備するのです。その上で、財の消費に使うことができる所得を与え、個人は自らの所得の範囲内で効用関数の値を最大化するような消費量を決定する、といった論理展開でモデルがこしらえられます。その意味で、多くのミクロ経済的分析が最適化数学（制約式のもとで関数値を最大化、あるいは最小化する数学理論）に依拠しています。

なお、財の価格は所与ではなく、市場において需要と供給のバランスを通じて決定されます。需要曲線と供給曲線の交点で価格と供給量が決定される、という仕組みは中学高校の社会科の公民で教えられているので、多くの読者の皆さんがご存じのことと思います。この市場均衡というものが安定であるかどうか、というのもミクロ経済学の基礎的で重要な分析対象です。

ミクロ経済学は、何よりも個人の行動を合理的にモデル化することを旨としています。そのために経済学は「経済的合理性（のみ）にしたがって意思決定を行う」存在をモデルの最重要な部品として導入しました。それが「経済人」（ホモ・エコノミクス）です。物理学が、面積や体積をもたず質量のみをもつ「質点」を導入したのと、大変に似ていますね。そうした架空の存在を用いることによって、物理学は質点系の力学を完成させることに成功し、ミクロ経済学は価格理論という緻密なモデル体系を構築することに成功したのが、とても興味深いところです。

付け加えれば、物理学の質点にしても、経済学の経済人にしても、元をたどれば作業仮説に過ぎないのです。ところが高等学校で物理を学び始めるとき、この質点がそうした仮説的存在であることはほとんど語られません。力学系のモデルがそれほどの大成功を収めたということでしょう。

一方、経済学における「経済人」という作業仮説に関しては、それに基づくモデルがかなりの成功を収めてはいるものの、経済人の仮説では説明しきれないミクロ的な人間行動が多く発見されてしまいました。現在はこの「完全に合理性をもった経済人」を前提としない経済学が精力的に研究されつつあります。それが「行動経済学」であり、人間の経済行動に伴う非合理性を心理学的・行動科学的実験と観察によって明らかにするという内容をもっています。

2 人々の移動のマクロモデルとミクロモデル

都市空間の交通を分析する

都市工学の分野にもマクロモデルとミクロモデルが存在することを、人の移動（交通）を分析する例で述べましょう。都市空間において、人々はさまざまな目的で日々動き回って生きています。通勤・通学・業務・買い物・行楽といった具合に目的はさまざまですが、こちらからあちらへ、そちらからこちらへと動くのです。

移動のマクロモデルは、都市平面を複数のゾーンにざっくりと切り分けます。そしてゾーン間の移動人数が、ゾーンの活力とゾーン間距離に応じて決まるというモデルをこしらえるのです。このモデルは「空間的相互作用モデル」と呼ばれます。

一方、移動のミクロモデルの場合は、個別の人間の交通行動に着目します（ミクロ経済学と似ていますね)。ある地点から別の地点に移動する際に、その人の属性とそのときの状況に応じて、どのような交通手段を取るか(徒歩、バス、電車といった)を考えるのです。このモデルは非集計選択行動モデルと呼ばれますが、その中でも出色のものが「非集計ロジットモデル」というものです。

これから述べる各モデルの説明について、少し難しいと思われる方々は、それこそざっくりとイメージするだけでかまいません。現実の世界で活用されているマクロモデルとミクロモデルの違いを感じ取ってください。

人々の移動のマクロモデル:空間的相互作用モデル

都市という人間にとっての器を設計するとき、居場所(家屋、ビル、工場、店舗、公園など人々が滞留する空間)と交通の空間(道路や鉄道)の割り振りを上手く行うことが肝要です。

なるべく多くの人が住み働くことができるようにとの思いから居場所を増やしすぎると、そのしわ寄せが交通の空間にいってしまい、大変な混雑が生じてしまいます。元々は地域の道路が空いていたのに、多くの人々が移住してきたり、お店や工場が増えると、渋滞が生ずるようになる、これは私たちの社会のあちこちで見られる困った現象です。その反対に、せっかく立派な道路が建設されているのに、いつまでたってもガラガラに空いているなぁ、という現象も見られます。この場合は、投資に見合ったリターンが実現していないので、やはり困った現象と言えます。

そうした困ったことが起きないようにするためには、人口分布と事業所や店舗等の分布に応じて、人々が動き回るさまを定量的なモデルで記述し、それに見合った（つまり過度の混雑やガラガラの状況が生じないように）交通空間を準備すればよいのです。

空間を越えた人の動きの統計データを整備することは19世紀末には英国で実現していました。グレイト・ブリテン島とアイルランドをゾーンに切り分け、ゾーン間の移住データが整備されたのです。そして移住がどのような法則にしたがっているかが研究されました。英国の研究者たちは、こうした人々の空間的移動に「重力モデル」（Newtonの万有引力のモデルのアナロジー＝類比）を適用することを思いつきました。重力モデルというのは、２つの地域の間の移動人数が「出発地域と目的地域の人口に比例し、地域間の距離が大きいほど小さい」という具合に式で表すものです。２つの物体間の引力が「２つの物体の質量に比例し、距離の2乗に反比例する」という万有引力の公式によって触発された、まさにアナロジーです。

この重力モデル研究が着々と発展し、その工学的な一つの完成形が１９６０年代の米国で、「シカゴエリア・トランスポーテーション・スタディ」としてもたらされます。これは

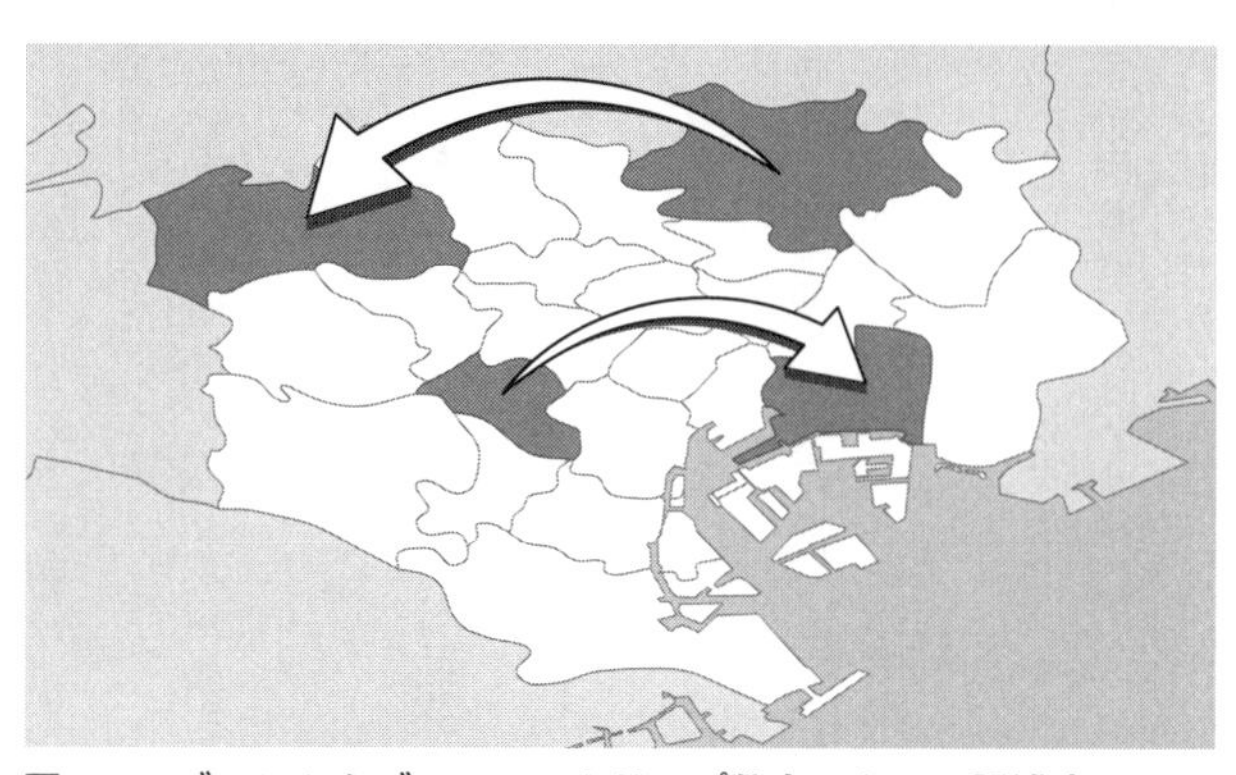

図4-1　ゾーンからゾーンへのトリップ数をマクロに記述する空間的相互作用モデルのイメージ（東京23区の例）

「空間的相互作用モデル」と呼ばれ、図4－1のような、ゾーンからゾーンへの時間当たりのトリップ数（何人の人が動くか）をマクロに記述します。

このモデルを用いるに当たっては、ゾーン間の交通量をアンケートデータによって計測し（「パーソントリップ調査」と呼ばれます）、それを上手く再現できる数式をこしらえます。この式にはゾーン間の距離が離れているほど交通量が少ない、という仕組みが組み込まれています。このようにして現状の人の行き来（これを分布交通量と呼びます）を一定水準以上の精度で再現できる数式を求めるのです。

求められた分布交通量の式を、将来に予測されるゾーンのアクティビティ（人口、店舗数、事業所数など）に応じて適用し、計画時点での分布交通量を推定します。

あとは、推定された分布交通量（ゾーンとゾーンの間を行き交う人数や車の台数）を、計画時点に想定される交通網（つまり将来の計画時点までに建設されるであろう道路やトンネルや橋などを加えたネットワーク）に流してやります。流してやる、といっても実際に人や車が動き回るのではなく、コンピュータ上で少しずつ小分けにして流すのです。準備しておいたコンピュータプログラム上の交通ネットワークにはキャパシティ（容量）を付与しておき、コンピュータ上で生ずる混雑を観察します。この観察によって、想定される交通網では将来の人の移動に上手く応えられない部分（混雑が生じる部分）を発見するのです。この結果は、道路の拡幅計画、バイパス道路の建設計画、鉄道の増便計画や新規鉄道路線の建設計画、といったものを合理的に立案するのに役立つことになります。

このようにして、将来の土地利用の変化（移住・新規店舗の建設・新規オフィスの建設・工場の誘致）と交通を関連付け、必要にして十分な計画を立案しよう、ということがシカゴで行われたという次第です。この手法は直ちに日本の交通工学の研究者によって輸入され、活用されました。現在でも、交通計画の定番の技術の一つとなっています。たとえば、「海ほたる」という大規模サービスエリアを介して神奈川県の川崎と千葉県の木更津を結ぶ「東京湾横断道路（アクアライン）」の費用対効果分析も、ここで説明したマクロモデルに基づいて行われました。

図4-2 人のミクロな選択を記述する非集計ロジットモデル

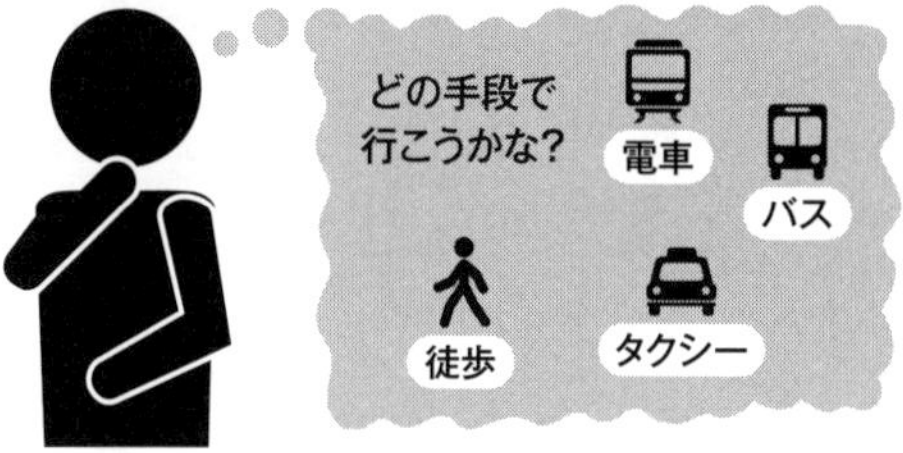

人々の移動のミクロモデル：非集計ロジットモデル

前項は、都市平面をざっくりとしたゾーンに切り分けて、ゾーン間で人の行き来（空間的相互作用）がどのように生ずるか、という現象に着目したマクロモデルでした。その一方、時代が下ると、都市内の個人の交通行動に焦点を当てて、交通手段の選択行動（たとえば電車・バス・タクシー・徒歩のどれを選ぶか）を記述したい、という要請が生じました（図4－2）。それによって、交通基盤施設への投資効果の見積もりを行ったり、それに基づく積算によってゾーン間の交通量を求めるためです。この要請に応えた出色のものが、計量経済学者であるダニエル・マクファデン（1937－）がこしらえた「非集計ロジットモデル」というものでした。

非集計ロジットモデルは「非集計選択行動モデル」というモデル族の1つであり、個人が複数の選択肢の中からどれか1つを選ぶという行動を記述します。この行動をミクロ経済学のホモ・エコノミクス（経済人）と同様に、個人が合理的な選択を行う（つまり自分にとって最も都合の良いものを選ぶ）という作業仮説の下で定式化するのです。

このように説明すると、「複数の選択肢の中からといっても、いつも同じものが選ばれるモデルなのかな？　それは現実にそぐわないな」という疑問が生ずることでしょう。私たちは日常の経験から、多くの場合、選択対象が1つだけではないことを知っているからです。近所にスーパーが複数存在するとき、その日そのときの事情に応じて、あちらへ行ったりこちらへ行ったりします。飲食店でも、私たちはいつも同じメニューを選ぶわけではありません。

こうした選択のゆらぎに対応するために、非集計ロジットモデルは選択肢の効用（それを選んだときの喜びの尺度）が確率的に変動するものとして選択確率を記述します。ここで、具体的には、確定させた基本の効用の値に、「グンベル分布」と言われるばらつきの仕組みでゆらぎを与えて（グンベル分布は複数の確率変数の最大値が従う漸近分布というものですが、ここでは詳しい内容には触れません）、各選択肢が選ばれる確率を描写するのです。

このモデルを、交通手段の選択に適用し、モデルが含んでいる未知のパラメータを推定して、その確からしさを吟味するという基礎研究を行ったのが、前出のマクファデンなのです。彼は、その業績によって、2000年のノーベル経済学賞を受賞しました。

複数のものの中からどれかを選ぶ、という行為はあまりにも普遍的ですから、非集計ロジットモデルは驚くほど多様な分野で利用されています。生物学における個体による選択行動、マーケティング分野における客の購買行動、都市計画分野における住民の施設選択行動、災害発生時の避難経路の選択行動、といった具合に、世の中のあらゆる局面で活用されています。個人（個体）の選択行動をミクロモデルで記述するという作法の、実に大きな成功例といってよいでしょう。

3　次元解析あるいはスケーリング則というマクロモデル

いろいろ使えるマクロモデル「次元解析」

ここまで、マクロモデルとミクロモデルとは何かを、例を挙げて紹介しました。

次に、もうひと踏ん張りして、「次元解析」という、マクロモデルによる代表的な思考方法を特別に紹介しておきましょう。この呼び名は物理学におけるものであり、生物学の分野では同様のものが「スケーリング則」と呼ばれています。その考え方は至極簡単なのに、さまざまな分野に適用可能なお得な方法なのです。

一言で言えば、次元解析とは、ある量が別の量を何乗したものに比例するかをつきとめて本質に迫る方法です。わかりやすい例を述べましょう。

「ジャイアント牛」育成のためのモデル

まずは品種改良をして大きな牛をつくりだそうという課題を取り上げます。そのために牛の①長さ＝スケール（縦や横や奥行きのこと）、②表面積、③体重、という3つの量に着目します。そして、これらの間に存在する関係を、「牛を立方体（サイコロの形）で置き換える」ことによって見通し良く見積もることにします。いってみれば、さまざまな微細なる情報（牛の頭や尻尾や脚部）を削ぎ落として、マクロ的にモデル化するのです。

牛を表す立方体の表面積は1辺の長さの2乗に比例します（具体的には1辺の長さの2乗の6倍）。一方、体積は1辺の長さの3乗で表せます。もちろん体重は体積に比例します。だから、長さを2倍にすると表面積は2の2乗＝4倍に、体積ならびに体重は2の3乗＝8倍になりますね。ここから有益な情報が引き出せます。

①酪農家がもしもスケールが2倍の「ジャイアント牛」を育てることができれば、現在よりも4倍の牛革と、8倍の牛肉を得ることができる（図4－3）

②ただし、スケールが2倍のジャイアント牛は、普通の牛の8倍の体重を、4倍の皮膚で支えなければならないから、単位面積の牛の皮膚が受ける圧力は8／4＝2倍にな

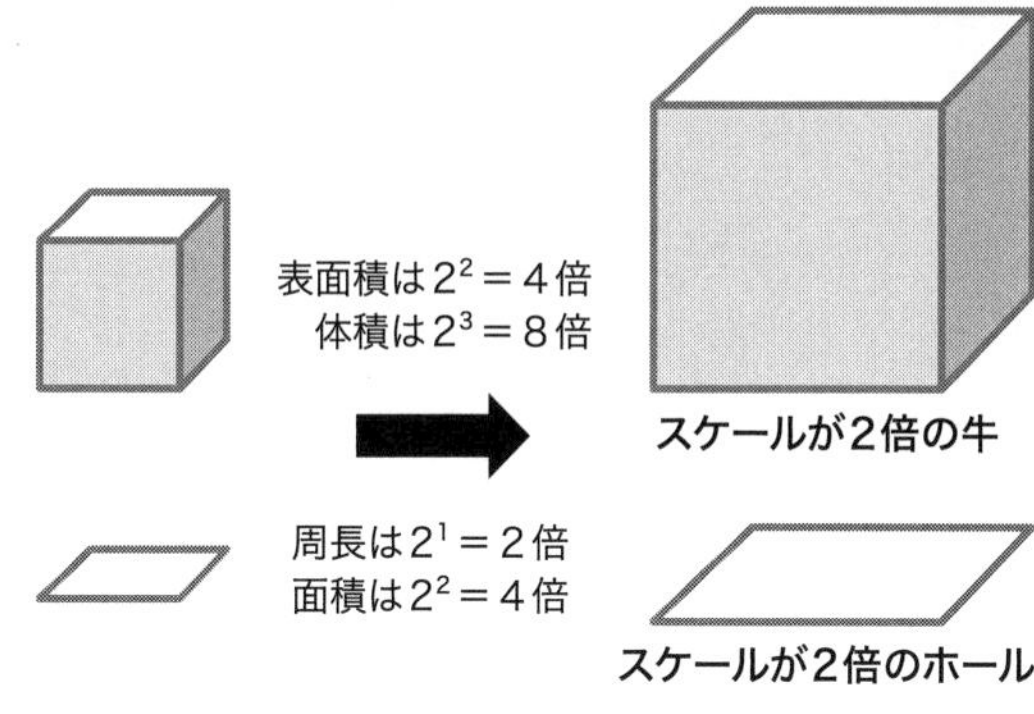

図4-3　スケールを2倍にすると何倍になるか？

ってしまう

ここから、牛を大きくすることがお金儲けにつながるからといって、やたらと巨大化することはできないことがわかります。実に単純な、子供にさえ理解できそうな物語を通じて、物事の本質に迫れるのです。

なお、この牛の例は、理論物理学者ローレンス・M・クラウス（1954—）が、そのアイデアを端的に表現する言葉を冠した書物『物理学者はマルがお好き』において、牛を球体で近似して述べているものです。

「音楽ホール」からの避難時間のモデル

今度は建築分野の話題です。

正方形の音楽ホールを思い浮かべてください。その中に収容できる**観客の数**は、もちろん**音楽ホールの面積**、すなわち**1辺の長さの2乗**に比例します。地震や火災等の緊急時に観客を音楽ホールの外に避難させるときの所要時間は、音楽ホールの大きさに支配されるはずですが、それを考察しましょう。

音楽ホールの周囲の長さは正方形の周長（1辺の長さの4倍）です。当然、出入り口の数は周囲の長さに比例するので、単位時間当たりに外に出ることができる人数も周長に比例します。周長に比例するということは、1辺の長さに比例することを意味します。だから、**全面積（人数はこれに比例）**を**1辺の長さ（時間当たりの出口通過者数はこれに比例）**で割りましょう。答えは**1辺の長さ**です。

つまり、観客をすべて外部に避難させるための時間は、音楽ホールのスケール（1辺の長さ）に比例するのです（図4－3）。建築物を巨大化させたいときには、この宿命に留意せねばなりませんね。

次元解析の作法は、さまざまな現象の本質を外さずに認識する上で役立つことが多いのです。なお、本書の第6章で、住民の費用負担を最小化する施設数のマクロモデルを紹介しますが、それも次元解析のアプローチによっています。

第5章　時間による変化を考えるかどうか

――静的モデルと動的モデル――

4つめに紹介するモデルの対概念は、静的モデル（英：static model）と動的モデル（英：dynamic model）です。学問の流れの中では、まずは前者が進展しました。今日では、色々な研究のフィールドで、同一の対象に対する、これら2つのアプローチが並行して行われています。

静的モデルとは、考察対象の時間的な変化を考慮に入れず、〝現在（いま）〟の状況を取り扱うものです。多くの場合、私たちの興味の対象は現在にありますから、分野を問わず、よく用いられる枠組みで、そのルーツは物理学の静力学です。これは物体に作用する力のつり合いを研究する内容であり、時間要素を含まない方程式を操ることによって行われます。経済学はこの枠組みを真似て、静学モデルというものをこしらえました。同じ考えの枠組みが応用数理の分野では静的モデルという言葉で表されているのです。

動的モデルとは、考察対象が時間に沿って変化する様子を追求するものです。多くの場合、モデルを構成する要素は複数設けられているので、動的モデルにおいては、部品同士の相互作用（時間の流れの中で互いに影響を与え合うこと）を取り扱うことになります。こちらの源は物理学の運動学です。経済学がこちらを真似てこしらえたのが「動学モデル」です。そして同じ考えの枠組みが、応用数理の分野では動的モデルと呼ばれるのです。

本章でも、これら2つの実例を挙げて理解の助けとします。ただしここでは考察の対象を「人口」にとり、興味深いモデル分析を解説します。

1　人口の静的モデルの例：東京圏の人口分布

都心からの距離と人口密度の減少の関係

都市の一つの重要な本質は、人口の集積状況にあります。都市内移動に関わる時間消費やエネルギー消費は、交通インフラストラクチャーのあり方にも依存しますが、つまるところ、何人の住民が、どの程度、分散して住んでいるかに依存して決まります。都市施設配置計画を、サービスを受ける住民の空間的分布の情報を用いることなく立案することはできません。都市の地価や住宅の賃料には、経済的な条件はもちろんのこと、人口がどの程度密集しているかが大きく影響を与えることは言うまでもないことです。その他、人口分布の様子によって記述される指標や、人口分布に基づいて立てられる計画など、人口分布は数多の物事に影響を与えます。

ここでは、大都市の人口分布を記述するための定番のモデルとして、［都心からの距離］と［人口密度］という2つの部品を取り上げ、後者が前者に依存する様子を観察してみましょう（第1章で述べた自動車の交通流のモデル分析と同様の発想です）。

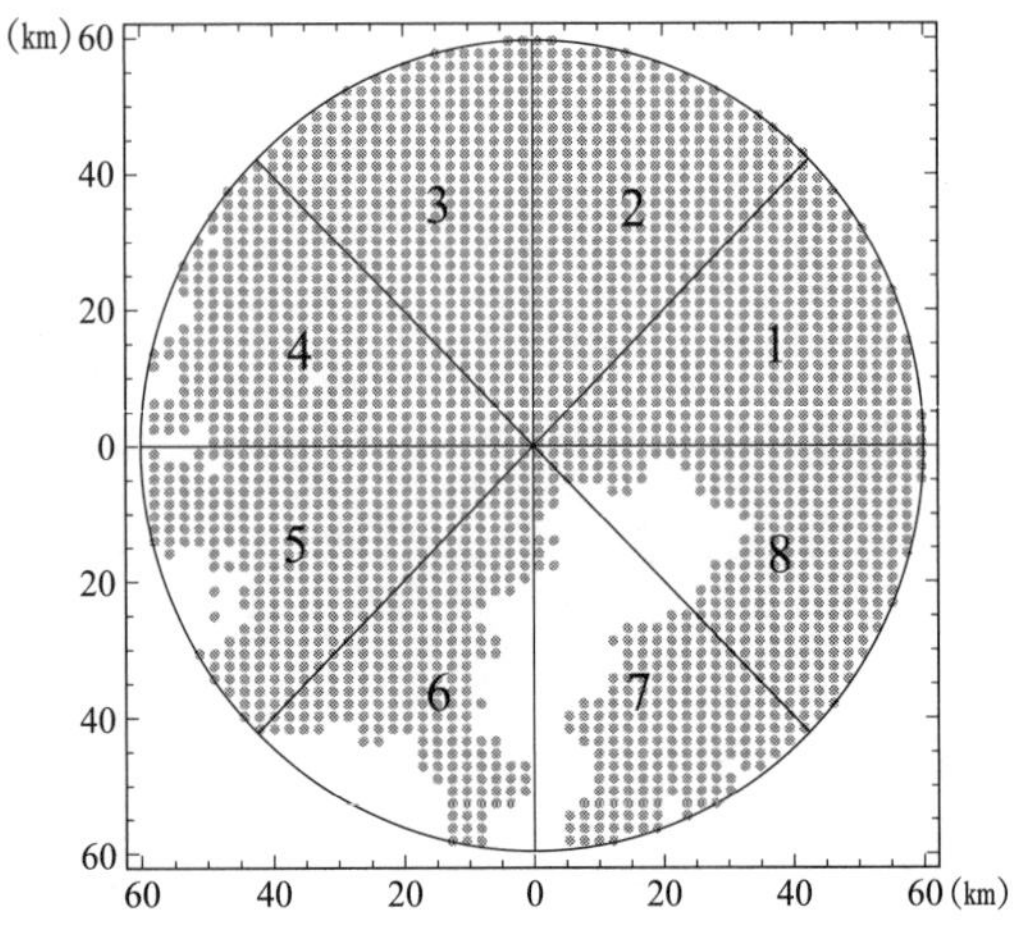

図5-1　皇居中心の60km圏を8等分するセクターへの2kmメッシュデータの割り当て（空白メッシュは海ならびに山間部に対応する）

　そのために、東京の皇居を中心点とする半径60kmの圏域を設定し、それを図5－1のような8つのセクター（扇形）に分割して、1から8の番号をつけます。

　データとしては、「地域メッシュ人口データ」というものを用います。これは日本の全域を、等間隔な緯度と経度の網目で覆い、各メッシュ（網の目）の内部の人口を計測したものであり、国勢調査を通じて整備されています。

　これに基づき、ほぼ2km四方のメッシュごとの人口密度を用意しました（各メッシュの中心点は図5－1に示す通りです）。地域メッシュ人口データはWebの「政府統計の総合窓口」というポータルサイトから、誰でも無料でダウンロードして用

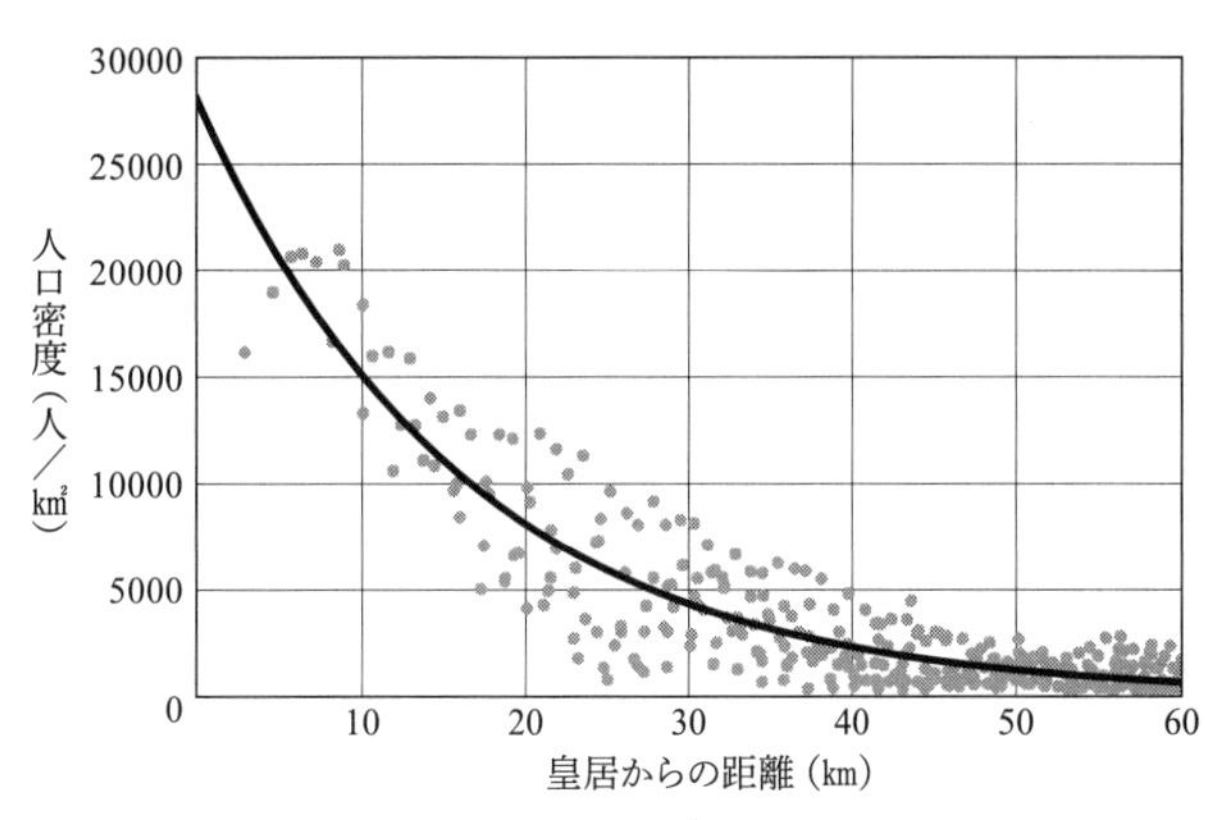

図5-2　セクター3において人口密度プロットにクラークの人口密度式を当てはめた例

いることができます（政府統計の総合窓口 https://www.e-stat.go.jp）。

このデータを用い、皇居からメッシュの中心点までの距離［km］を横軸に、そのメッシュの人口密度［人／km²］を縦軸にとって、セクターごとにプロットしました。ただし、セクター7と8は多くの部分が東京湾で占められているため、観察の対象から外し、セクター1から6を対象としました。その一例として、セクター3の様子を図5－2に示します。

図5－2を見ると、セクター3では都心から離れるにつれて人口密度が減少してゆく様子が読み取れます。他の5つのセクターでも同様の減少傾向を見ることができます。

この傾向を真似するための関数として、指数型の減少関数というものを用意して当てはめる

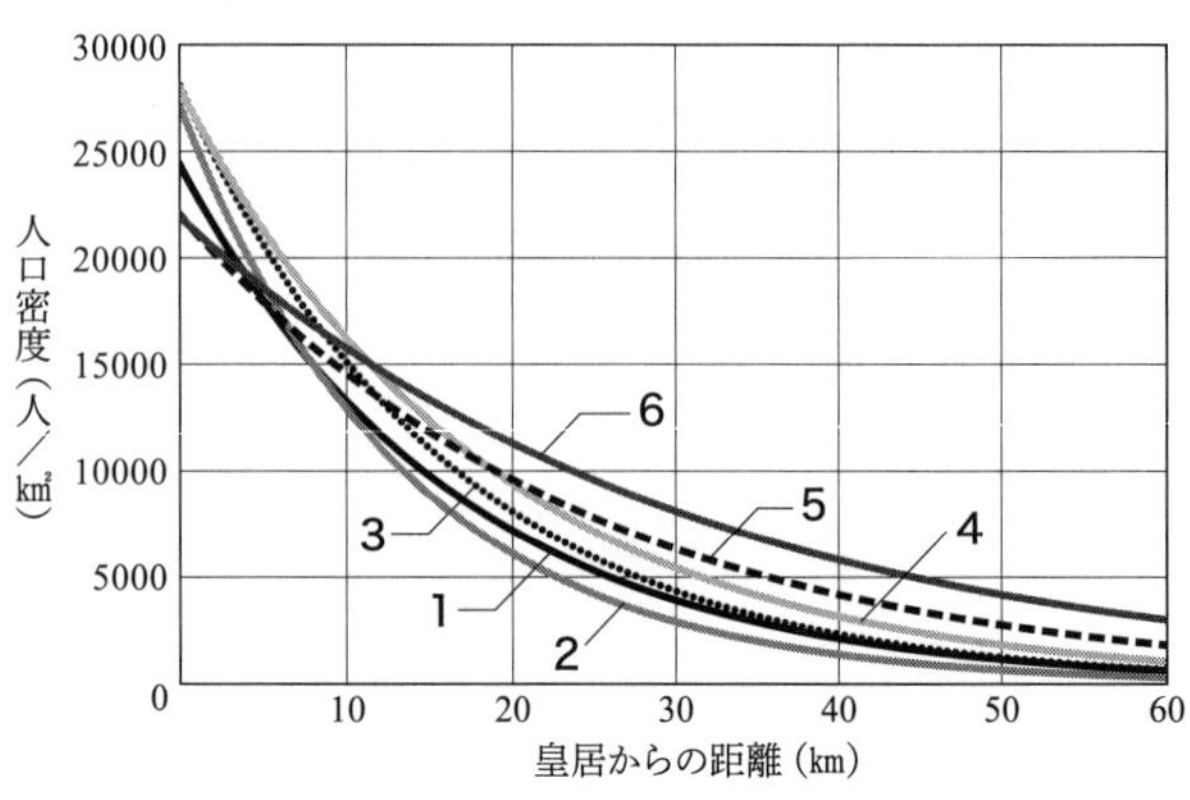

図5-3　セクターごとに同定したクラークの人口密度式の一覧

と（「非線形最小二乗法」という計算技術を用いました）、図5－2中の曲線が得られます。これは統計学者のコーリン・クラーク（1905－1989）が、アメリカの大都市の分析を行うに際して用いた方法です。図5－2のセクター3はむろんのこと、いずれのセクターにおいても、きれいな減少傾向が存在することがわかりました。

セクター同士の傾向の違いを明らかにするために、6つのセクターに関して得られた曲線（クラークの人口密度式と呼ばれます）を重ね合わせてみました。この図5－3を見ると、各セクターの性質の違いを浮き彫りにすることができます。

どの曲線も都心から離れるにつれて減少してゆくのですが、その速さにかなりの違いがあります。セクター1、2、3（放射状鉄道の常磐線、東武東上線、東北本線の沿線）では、速やかに人口密度が減少しています。それに比して**セクター4と5**（放射状鉄道の中央線や私鉄各線の沿線）では、減少の様子が穏やかです。さらに**セクター6**（放射状鉄道の東海道線の沿線）に至っては、都心から60km離れても人口密度3000人／km²を維持しています。

魅力的な路線セクターから郊外化が進む

このようなモデル分析の結果（セクターによる相違）がもたらされたのは、明治期以降の東京圏の都市発展の歴史によって説明できます。

明治期には殖産興業のプロセスを通じて、全国から東京圏への労働力の集中が起きました（つまり若い世代を中心とする人口の流入です）。その際に、この労働者たちの居住場所を都心の集合住宅という形では準備せず、郊外の宅地化を進めたのです。

さらに、国は1906年の「鉄道国有法」により、全国を長距離で結ぶ鉄道路線を国有化しました。そして、私鉄は「一地方の交通を担うもの」と位置付けたのです。これにより私鉄各社は、鉄道開発と住宅地開発を抱き合わせるビジネスモデルを展開することになりました。

その嚆矢は小林一三（いちぞう）氏（1873—1957）の阪急東宝グループによる、鉄道・不動産・小売業・娯楽産業の連携開発モデルでした。こうして、流入した人々は郊外に住み、私鉄で仕事先に通勤するという都市構造が埋め込まれたのです。道路も鉄道も、郊外から都心に向かう数多くの放射状路線と、それらをつなぐ数少ない環状路線として建設されていきました。このあたりの経緯を学ぶには、建築史家の鈴木博之（１９４５―２０１４）が著した『日本の近代10　都市へ』が好適な書物です。

他所から移住してくる人たちはなるべく職場に近く、かつ自分のお給料であがなえる住居を選択します。都心の丸の内や京浜工業地帯への通勤を最も速やかにこなすことを可能にするのが東海道線の沿線（セクター6）であることは、その地理をみれば明らかでしょう。

ですから、まずは東海道線沿線の都心に近い部分への人口流入が起きるのですが、需要が増えれば地価や賃料が上がります。そこで都心から少し離れた付近への人口流入が起き、そこでも地価と賃料が上がります。するとさらにその外側への流入が……という具合に人口の外延化がすすむのです。それをサポートしたのが、前述の私鉄各社であった、という次第です。

このような人口の郊外への流出を、都市計画の分野では「人口スプロール」と呼びます。多くの労働者にとって魅力的なセクターから順に郊外化が進むので、東京圏の郊外鉄道路線のスプロールの順番は次の通りでした。

東海道線（セクター6）→中央線（セクター4と5）→東北本線（セクター2と3）→（常磐線を飛ばして）総武線（セクター1と8）→常磐線（セクター1）

最後の砦であった常磐線セクターにも、秋葉原駅とつくば駅を結ぶ「つくばエクスプレス」が2005年に開通し、住宅地開発のラッシュが起きています。そして現在はこの路線の延伸計画が立案されつつあります。

以上、都心から郊外に向けて人口密度が減少する静的モデルを紹介し、その結果に基づいて東京圏の都市開発の歴史を振り返ってみました。

なお、ここでは紹介しませんが、なぜ、このような人口密度が郊外に向けて減少する傾向（図5－1、図5－2）が生ずるのか、という理学的モデル（普遍性を追求するモデル）も地理学者や経済学者によって開発されています。これも第1章で述べた自動車交通のモデル分析と同様であり、①都心から遠ざかるほど人口密度が低くなる傾向の発見→②減少傾向を表現する数式表現の適用→③数式表現をもたらす普遍的な原理の追求、という研究プロセスが存在するのです。

2 人口の動的モデルの例：人口ピラミッドの予測モデル

コーホート要因法

読者の皆さんは世界の人口が増加傾向であるにもかかわらず、日本の（そして多くのいわゆる先進国の）人口が減少に転じているのをご存じでしょう。さまざまなメディアを通じて、世界的には人口増加による食糧不足の問題が、国内的には人口減少による労働力不足の問題が伝えられています。都市・地域や国の将来人口をもっともらしく予測するには、どうすればよいのでしょうか。

都市人口は時間とともに変化してゆく物理現象ですから、もちろん動的モデルの適用対象です。そしてこれには大きく分けて2つのアプローチ法があります。

1つは対象とする都市地域の人口をひとまとめにし（マクロ経済学の方法を思い出してください）、それが環境の制約の下で変化する様子を「微分方程式モデル」というものによって追いかけるマクロモデルの方法です（特に有名なのが「ロジスティック成長モデル」）。

微分方程式モデルでは、微小な時間がたったときに部品にどのような変化が生ずるか、というルールを微分という概念で表現し、このルールを満たすような部品のふるまい（時間経過とともにどう変わっていくか）を、微分方程式を解くことによって突き止めます。このアプローチは物理学の定番ですが、それを生物学における個体群の成長に適用することによって、さまざまな興味深い研究が行われました。

もう1つは人口をひとまとめにするのではなく、男女別・年齢階層別の集団（これを「コーホート」と呼びます。古代ローマでは300人から600人の歩兵隊を「コホルス」ラテン語：cohorsと呼びました。英語ではcohortといい、現代の軍隊でも、同一作戦に従事する一団の呼び名となっています。この「運命を共にする集団」のアナロジーにより、人口学では同じように年齢を重ねてゆく仲間の集団をコーホートと呼びます。同様のアイデアは疫学の分野でも用いられます）の行く末を追いかける「コーホート要因法」というモデルです。

たとえば階層を5歳ごとにし、男女別の0〜4歳、5〜9歳、10〜14歳……というコーホートを考え、各コーホートが将来にわたって変化してゆく様を（5年ごとに）追いかけるモデルをこしらえます。コーホート別の人口を横向きの棒グラフで表し、右と左に分けて配置したものは「人口ピラミッド」と俗称されます。コーホート要因法は人口ピラミッドの予測モデルなのです。

図5－4❶には2020年の現実の人口ピラミッドを、図5－4❷には2070年の予測値（国立社会保障・人口問題研究所による）を示します（予測手法は以下に述べます）。これは社会

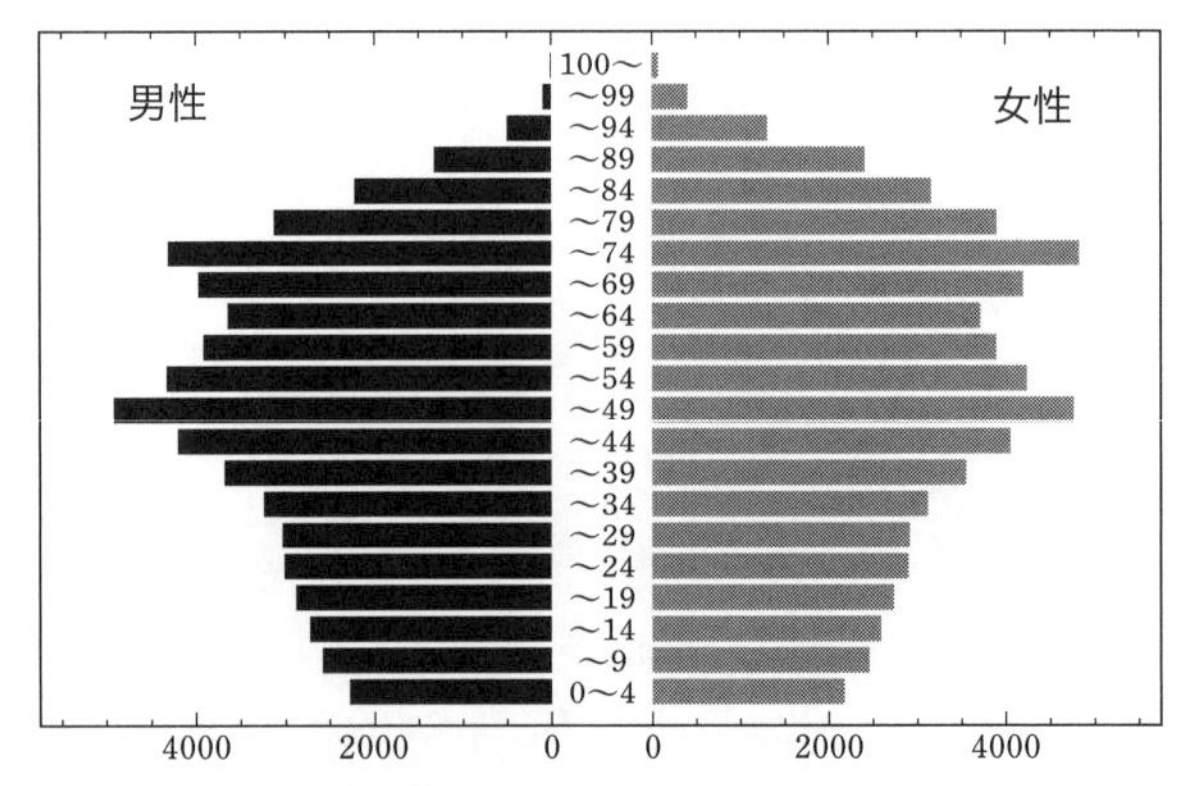

❶2020年の実績人口ピラミッド［単位：千人］
（国勢調査による）

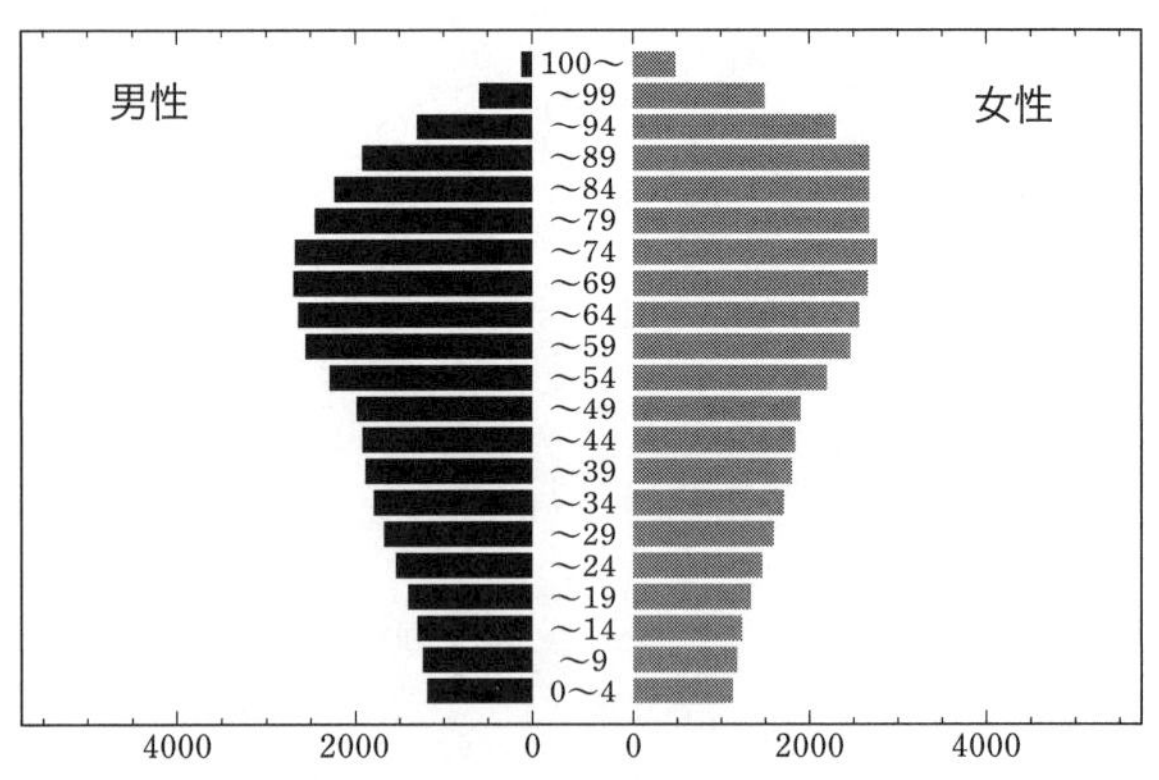

❷コーホート要因法による2070年の予測人口ピラミッド［単位：千人］
（国立社会保障・人口問題研究所による中位推計）

図5-4　わが国の人口ピラミッド　（2020年の実績と2070年の予測値）

を構成する人々全体を中くらいの集団に分けた部品によるモデルですから、メゾモデルと呼ぶべきものです。

人口ピラミッドの予測ができれば、それに基づいて社会のさまざまな課題を考えたり、企業の生産活動や商品開発にも活かしていくことができるので、このモデルは理解しておく価値のあるものです。たとえば商品を買ってくれるコーホートの人口が減っていったら、企業は別の商品を開発しなければなりません。また、説明の過程で「合計特殊出生率」という重要な概念が出てきます。その理解を通じて学ぶべき話題も多いので、このモデルを選び説明することにしました。

コーホート要因法は前述のコーホートに加えて、①加齢と死亡、②移住、③出生という3つの重要な部品を取り出します。現実を観察すると、この3つの現象がコーホートに時間的な変化をもたらしていることがわかるからです。以下に、これらについて簡単に述べます。

①加齢と死亡

例として5歳階級のコーホートを考えてみましょう。たとえば15~19歳のコーホートは、5年経つと20~24歳のコーホートにシフトアップしますね。だけど、その間に不幸にして亡くなる人もいるでしょう。だからその分だけシフトアップする人数を割り引かねばなりません。もしも考える都市の内外で移住がなければ、［5年後の20〜24歳コーホート人口］は［現在の15〜19歳コーホート人口］に［15〜19歳の5年間生存率］を掛けたもので算出されます。5年間生存率は年齢が上のコーホートほど低く、男性よりも女性の方が高い、という特徴を持っています。

②移住

さて、5年間が経過しても無事に生き残った人の中には、対象都市の外に移住した人もいるはずです。逆に外から転入した人もいることでしょう。そこでコーホートごとに［5年間の地域残留率］という部品を導入します。この値が1より大きければ転出より転入が多く、1より小さければその逆です。こうして①よりも一歩進めて、［5年後の20〜24歳コーホート人口］は［現在の15〜19歳コーホート人口］に［15〜19歳の5年間生存率］を掛け、さらに［15〜19歳の5年間地域残留率］を掛けたもので算出されることになります。都市の内外（国の内外でも同様）で転入・転出がない場合は、これを考慮する必要はありません。

合計値を"**合計特殊出生率**"と呼びます

（5年後の**0**～**4**歳の男子［女子］のコーホート人口）
＝（**15**～**19**歳の女性コーホート人口）
×（そのコーホートの5年間男子［女子］出生率）
＋（**20**～**24**歳の女性コーホート人口）
×（そのコーホートの5年間男子［女子］出生率）
＋（**25**～**29**歳の女性コーホート人口）
×（そのコーホートの5年間男子［女子］出生率）
＋………
＋（**45**～**49**歳の女性コーホート人口）
×（そのコーホートの5年間男子［女子］出生率）

図5-5　5年間の新生児数の計算と合計特殊出生率

③出生

最後は出生の記述です。5年後の0～4歳コーホート人口は、その間に生まれた赤ちゃんの人数です。これを計算するために、女性のコーホートごとに「1人の女性が5年間で生む赤ちゃんの数の平均値」を調べ、これを［女性コーホートの出生率］と呼びます。そして、［女性コーホート人口］に［そのコーホートの5年間男子（女子）出生率］を掛けたものを、出産可能な女性コーホートすべてに関して計算して足し上げるのです。こうして［5年後の0～4歳の男子（女子）コーホート人口］を求めることができます。その様子は図5－5に示す通りです。

以上の手続きを、ある時点の人口ピラミッド（男女別のコーホート人口）を初期値（スタート点での値のこと）として始めて、5年後、10年後、15年後

表5-1　総人口・年少人口・生産年齢人口・高齢者人口の見積もり

集計内容	1947年の値	2020年の値	2070年の予測値
総人口	7810万人	12340万人	7760万人
年少人口（0歳〜14歳）	2760万人（35％）	1480万人（12％）	730万人（9％）
生産年齢人口（15歳〜64歳）	4670万人（60％）	7270万人（59％）	3860万人（50％）
高齢者人口（65歳以上）	370万人（5％）	3580万人（29％）	3170万人（41％）

という具合に計算を進めてゆけばよいのです。前出の図5－4❷は、国立社会保障・人口問題研究所が行った計算結果を示しています。この推計では、出生率や死亡率の将来推移を予測し、いくつかのシナリオの中でも中位の設定にした結果が示されています。

図5－4の2つの人口ピラミッドを比較することによって、さまざまなことに気づくことができます。試みに総人口、年少人口（0歳〜14歳）、生産年齢人口（15歳〜64歳）、高齢者人口（65歳以上）を比較すると、表5－1の通りです。この表には、さらに2070年の総人口と同程度だった1947年のデータも参考値として書き込みました。わが国では、これからの約50年間で、総人口がおよそ4千500万人ほど減少し、1947年頃の値になることがわかります。

3つの時点を比べると、年少人口が実数、比率ともに大きく減少しています。その反対に、高齢者人口は比率を大きく増大させているのがわかります。その一方、現在と2070年の高齢者の実数はそれほどには変わらないのです。ちょっと考えてみれば当たり前のことなのですが、高齢化しているとはいえ、高齢者ももちろん亡くなってゆくからです。このことを理解しておかねばなりません。

年少人口は現在の半分ほどに減り、全人口に占める割合も12％から9％に減ります。幼稚園・保育園・小中学校は小規模化せざるを得ません。しかし、どのような組織にも、それを成り立たせるための最小規模というものがあるので、むやみに小規模化するわけにもいきません。そこで、これら年少者のための施設を統合することになり、人々が集住する傾向を強めないと、子供たちの通学距離が大きいものとならざるを得ない、という示唆が得られます。

生産年齢人口というのは、労働によって商品やサービスの価値を提供し、その所得から税を納めることによって、国家と地方公共団体の財源、そして年金システムならびに医療保険を支える役目を果たす人々の数です。これが現在よりも３４００万人ほども減少するという見積もりです。ところが構成比率は59％から50％に減少するに過ぎないのです。今後、ＡＩ化と自動化がますます進展する社会にあって、全人口の50％もの労働者にどうやって就業機会を与えるのかが、一大問題になると考えます。

読者の皆さんが目にする将来人口の推定値の多くは、ここまで述べてきた方法で計算される人口ピラミッドを足し上げることによって求められたものです。

ここで注意せねばならないのは、上述の手続きに登場した「コーホート別地域残留率」、「コーホート別生存率」、「女性コーホート別の出生率」、という「率」が計算を支配している、ということです。実際の経験からすると、「コーホート別生存率」は安定しているものの、具体的な市を対象とすると、「コーホート別地域残留率」は、なかなか安定した値を取りません（住宅地開発や産業の立地によって影響を受けるので）。また、「女性コーホート別の出生率」は地域に依存することもわかっています。そしてこの「出生率」の今後の推移は不確定なのです。

ちなみに、コーホート要因法は「動的なメゾモデル」ですが、将来の人口を予測するための「動的なミクロモデル」というものもあるでしょうか――。あると思います。たとえばすべての住民が互いに顔見知りであるような小さな村を想像してください。「この村の人口の行く末を考えなさい」と言われたら、筆者はすべての世帯の家族構成と一人一人の健康状態ならびに収入を調べ、誰がいつ頃亡くなりそうか、赤ちゃんはどの家庭からいつ頃生まれそうか、適齢期の人同士がいつ頃結婚しそうか、といったモデル分析を行うことになるでしょう。まさにミクロで動的な内容です。

世界の合計特殊出生率

コーホート要因モデルで新生児の数を予測する方法を図5－5を用いて述べました。このとき、各女性コーホートの出生率（そのコーホートに所属するひとりの女性が5年間に生む赤ちゃんの数の平均値）を、すべてのコーホートについて足し上げましょう。この数値が「合計特殊出生率」です。この数を、一人の女性が一生を通じて生む赤ちゃんの数の平均値の近似とみなすのです。わが国での死亡率を勘案するとき、人口維持のためには合計特殊出生率が2・06から2・07程度は必要であることがわかっています。

世界銀行が公表している世界各国の合計特殊出生率（2021年）は、いわゆる先進国では軒並み2を下回っています（日本：1・30、米国：1・66、英国：1・56、フランス：1・83、ドイツ：1・58、イタリア：1・25、カナダ：1・43、オーストラリア：1・70）。

BRICsの中では中国の値が小さめでインドが大きめです（ブラジル：1・64、ロシア：1・49、インド：2・03、中国：1・16）。一方、アフリカ大陸の多くの国では4以上です（最大値はニジェールの6・82）。中東の産油国は1～4の間でさまざまであり（サウジアラビア：2・43、アラブ首長国連邦：1・46、イラン：1・69、イラク：3・50、オマーン：2・62、カタール：1・80）、最小値は韓国の0・81であり、群を抜いた少子化が進展しつつあります。今後の韓国における大きな社会的変化が予見されます。

図5-6　日本の合計特殊出生率の推移（厚生労働省「人口動態統計」による）

わが国における、１９４７年から今日に至るまでの合計特殊出生率の変化を図５－６に示します（データの出所は厚生労働省の「人口動態統計」です）。１９４７年には４・５４であったのが、１９６０年頃にかけて激減し、その後はなだらかに減少を続けます。２０２２年の合計特殊出生率は１・２６でした。

昨今、さまざまな場面で少子化対策が提案されますが、人口減少の度合いを緩和するためには、何らかの手立てを講じて合計特殊出生率を増加させる必要があるのです。しかし、子どもを持つ人たちへの資金的補助や、働き方の改革が、どれだけ合計特殊出生率を増やしてくれるのか（これを専門用語では弾力性と呼びます）は、なかなか明らかにはできない状況です。

八百屋お七と「丙午(ひのえうま)の迷信」

ところで、図5－6を見ると奇妙なことに気づきます。それは合計特殊出生率が1966（昭和41）年の直前4年間ほどで少し増加した挙句に、突然に激減し、その翌年に急回復した後に安定に向かっていることです。これを引き起こしたのは「丙午(ひのえうま)の迷信」です。

1683年のことです。江戸の街を天和(てんな)の大火が襲いました。本郷の八百屋の娘だった「お七」は、家族とともに駒込のお寺に避難しました。そこでお七は寺小姓（小僧さん）と恋仲になりましたが、火災がひと段落すると家に帰らねばなりませんでした。

現在の世とは違い、スマホで簡単に連絡を取り合うわけにもいきません。娘の身で、想い人に逢いにゆくのもはばかられます。「そうだ、火事が起きればまた会える」と、お七は浅はかなことを思いついてしまいました。そしてお七は付け火をしてつかまり、鈴ヶ森の刑場で火刑に処せられました……。ざっとこのような物語が伝わっているようです。浮世草子作家の井原西鶴（1642―1693）はこの実話をもとにして『好色五人女』の一節を書きました。

このお七が〝丙午〟の年の生まれであったことから、「丙午生まれの女は縁起が悪い」という迷信が生じたのです。

この年の数え方のシステムは十干十二支(じっかんじゅうにし)というものです。実はこれは古来から伝わるオカルトモデルなのです。

1966年は、この丙午の年に相当します。子どもをもうけたいと思った夫婦の多くが、もしも1966年に女の子が生まれたら困るから、その前に子供を持とうと考えたのでしょう。ですから、1966年の前の数年間に合計特殊出生率が増加したのです。そして1966年には子を生まないようにする夫婦が多くいた、という次第です(当時は既に避妊の技術は普及していました)。翌1967年には、その反動で急回復したのです。

十干十二支というオカルトモデル

十干は中国の殷の時代に用いられた数詞(順番を表す語)であり、10日ごとに区切って日にちを数えるために、「甲・乙・丙・丁・戊・己・庚・辛・壬・癸」が用いられていました。

一方、中国の戦国時代に陰陽説(陰と陽二つの気が互いに消長・調和することによって物事が転変するというオカルト)と、五行説(木・火・土・金・水という要素の交替・循環によって万象の変化が生ずるという要素還元主義の説明原理)が生み出されていました。特に五行説の構成要素間には相剋(一方が他方に打剋つ特性)と相生(一方が他方を生み出す特性)という相互作用が仮定されており、これはある意味で立派な自然観です(図5-7)。

この考え方に自然観察による実証主義が伴えば、中国文明は近代的な科学の流れを生み

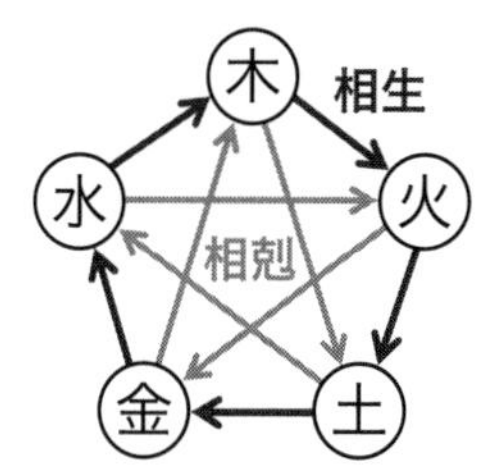

相生（そうじょう）
木は火を生む
火は土を生む
土は金を生む
金は水を生む
水は木を生む

相剋（そうこく）
木は土に剋（か）つ
火は金に剋つ
土は水に剋つ
金は木に剋つ
水は火に剋つ

図5-7　十干の背後にある五行説という要素還元モデル

出すことができたかもしれません。しかし残念ながらそうはならず、五行説はその後オカルトモデルの途を突き進むことになりました。なお、わが国ではこれに「もくかどごんすい」という面白い読みを当てています。

そして漢代に入ると、十干が五行の要素に関連付けられることになりました。甲乙は木に、丙丁は火に、戊己は土に、庚辛は金に、壬癸は水に、という具合です（こじつけです）。さらに陰陽説がこれに取り入れられ、陽を兄、陰を弟とみなしました（悪乗りです）。

これが日本に取り入れられる際に、兄を「え」と読み、弟を「と」と読むことによって、「甲（きのえ）・乙（きのと）・丙（ひのえ）・丁（ひのと）・戊（つちのえ）・己（つちのと）・庚（かのえ）・辛（かのと）・壬（みずのえ）・癸（みずのと）」という呼び名を作ったのです。もっともらしい説明原理が背後に控えていたせいか、人々はこの十干システムに、一定の周期性をもった何かが隠されているように感じたのではないかと思います。まさにオカルト（隠されたもの）です。

表5-2　十干十二支は60年分の数詞

1 甲子	2 乙丑	3 丙寅	4 丁卯	5 戊辰	6 己巳
7 庚午	8 辛未	9 壬申	10 癸酉	11 甲戌	12 乙亥
13 丙子	14 丁丑	15 戊寅	16 己卯	17 庚辰	18 辛巳
19 壬午	20 癸未	21 甲申	22 乙酉	23 丙戌	24 丁亥
25 戊子	26 己丑	27 庚寅	28 辛卯	29 壬辰	30 癸巳
31 甲午	32 乙未	33 丙申	34 丁酉	35 戊戌	36 己亥
37 庚子	38 辛丑	39 壬寅	40 癸卯	41 甲辰	42 乙巳
43 丙午	44 丁未	45 戊申	46 己酉	47 庚戌	48 辛亥
49 壬子	50 癸丑	51 甲寅	52 乙卯	53 丙辰	54 丁巳
55 戊午	56 己未	57 庚申	58 辛酉	59 壬戌	60 癸亥

十二支は、中国の天文学で、木星が12年で天を一周することから、その位置を表すために天を十二分した呼称でした。十二の動物の名前を用いたのです。なんだか楽しそうで、ユーモアにあふれた命名のように思います。わが国では十二支として、「子・丑・寅・卯・辰・巳・午・未・申・酉・戌・亥」が用いられています。

周代に、十干と十二支が組み合わされ、年と日、両方の数詞として用いられるようになりました。十干を最初から順番に選び、十二支も最初から順番に選んで、組み合わせをこしらえると、表5－2のように「甲子」「乙丑」「丙寅」……「辛酉」「壬戌」「癸亥」という具合に60個の数詞をつくれます（10と12の最小公倍数が60であることによります）。

これはとても便利な工夫です。当時の人間の寿命を勘案すれば、自分の人生の中で何が起きたかを振り返るとき、たかだか60年分の数詞があれば事足りたことでしょう。とてもわかりやすい、そして役立つ工夫です。

日本史でもよくこの呼び名が登場します。壬申の乱、戊辰戦争といった具合にです。前者は西暦672年（天武天皇元年、みずのえさるの年）に、後者は1868年（明治元年、つちのえたつの年）に起きたことです。有名な阪神甲子園球場は1924年（大正13年、きのえねの年）に開場しました。

十干十二支は干支とも表記され、こちらは「かんし」あるいは「えと」と読まれます。若い世代には、十二支のことを「えと」だと思っている人がいるのですが、実は干支は60年周期の数詞のシステムなのです。「60年間の齢を重ねることができましたよ。生きて元の年に戻ってくることができたのです」という慶びごとが「還暦」の祝いにほかなりません。

オカルトモデルに致命的に欠けているもの

ここまで述べてきたように、十干十二支は年の数え方に過ぎないのです。それにもかかわらず、背後に陰陽五行というオカルトモデルが介在したために、これに特別な因果を持たせる、困ったモデルを人々が心中につくってしまいました。そしてあろうことか、それを用いて世の趨勢をもっともらしく説明してみせる疑似科学を生んでしまったのです。十干十二支のひとつひとつが特別の意味をもっているのならば、ある年にとんでもない悪人が生まれたら、60年後の、120年後の、180年後のその年に、同様の悪人が生まれるのではないかしら、などと多くの人が感じてしまったのです。

丙午の年に生まれたお七が悪いことをした、という事実を過度に一般化して、「丙午生まれの女は……」と思い込むなんて、なんという愚かなことでしょう。このような因果が本当に存在することを示すには、数多くの実際の女性を観察して厳密な記録を取り、「丙午生まれの女性は他の生まれの女性に比して明らかに悪いことをする傾向をもつ」ことを統計学的に検定せねばなりません。そのような厳密な考察をせずに、因果の妄想に左右されているわけです。17世紀の江戸で生まれた迷信が300年近くも生き続け、1966年（昭和41年）の日本人の行動に影響を与えたのだから、驚かざるを得ません。

そもそも丙午の迷信がうまれた17世紀には、英国では1651年にホッブスが『リヴァイアサン』という「近代的な法の精神」に関わる重要な書物を、1687年にニュートンが『プリンキピア』という物理学の進展を決定づける金字塔のような書物を著しています。一部の科学者がもたらす経験科学の大いなる進展と、科学の進展とは無縁な人たちのお呪いの世界の強烈な対比を、ここに見ることができます。

もっとも、この時代にお呪いが見られたのは日本だけではありません。米国マサチューセッツ州セイラムでは１６９２年に魔女裁判が行われました。２００人もの女性が魔女の疑いで告発され、20名以上の命が奪われたのです。

合計特殊出生率が激減した１９６６年に至る時代においても、人間の合理的判断を支えるための知的貢献が沢山生み出されました。たとえば１８７２年から１８７６年にかけて、福沢諭吉（１８３５—１９０１）が『学問のすゝめ』を著しました。

１９１６年にはアルベルト・アインシュタイン（１８７９—１９５５）が一般相対性理論を、１９３５年にはわが国の湯川秀樹（１９０７—１９８１）が中間子理論を発表しました。１９６４年には東京オリンピックが開催され、わが国は先進国の仲間入りをしたように見えたのです。そして、その挙句に１９６６年の合計特殊出生率の激減です。

部品を抽出して因果に基づくシステムをこしらえる。そして物事の判断や意思決定に活かす。このことにのみ着目すれば、科学のモデルも、丙午伝説を生み出すオカルトモデルも同様の存在です。しかし、オカルトモデルには「因果関係が現実観察によって実証されねばならない」という致命的に重要な条件が欠けているのです。

筆者はこの書物を２０２３年に書いています。次の丙午である２０２６年（令和8年）に、合計特殊出生率は有意なる減少を見せるでしょうか？　もしも減少しなければ、日本が一歩近代に近づいたことを、読者の皆さんと一緒にお祝いしたいです。

世には、他にもさまざまなオカルトモデルがあります。西洋占星術、タロット占い、四柱推命、風水、等々です。「占いは科学です」などという、恐ろしい言葉を使う人もいたりします。その他、実に奇天烈な理屈や疑似科学が横行しています。

それらの中には、信じた人たちからの集金システムをもっていたり、ある種の政治的な認識を持たせることを目指しているように見えるものもあります。モデルが記述されただけでは科学ではなく、そこに事実に基づく検証という研磨が施されて初めて科学なのに、そのことにあまりにも無頓着な人たちが沢山いて、その人たちは知らず知らずのうちに洗脳され利用されてしまうのです。

筆者は現代に存在するこれらのオカルトのことを、「近代にビルトインされた中世」と呼んでいます。こうした〝中世的なるもの〟を、科学の言葉とモデル分析の考え方によって的確に片付けること。これも大学人の大切な使命だと考えます。

第6章　モデル分類法の活用

1 モデルの位置づけマップ

知的営みの地図

第2章から第5章にかけて、モデルを対概念によって分類する方法とその実例を述べました。序章で服装のコーディネイトを例にしつつ述べたことですが、4つの対においてどちらを選ぶかによって、異なるモデルがつくられます。

この節では、2つの対概念を組み合わせることによって手に入る「モデルの位置づけマップ」の活用法を述べましょう。

中でも特に焦点を当てるのは、

- 第2章の❶定量的モデルと❷定性的モデル
- 第3章のⒶ普遍的法則を追求するモデルとⒷ個性的な個体を把握するためのモデル

という2つの対概念の組み合わせです。

前者（定量&定性）はモデル分析を進めるための技術にかかわるものです。

定量的モデルを取り扱うためには、数学と理科を修得する必要があります。そして定性的モデルを取り扱うためには、文献学的な作法の修得が必要となります。そのどちらもが、時間をかけた努力を必要としますから、どちらに主軸を置いて学ぶかを、まずは決める必要があります。もちろん、理工系の学問を修めたのちに、必要に応じて文科系の学問を学ぶことも、その逆も可能です。しかし両方を同時に学ぶことは、（特に制度化された教育を行う）大学においては困難です。このような意味で、この定量&定性という対概念のどちらを選ぶかに着目する意味が大きいのです。

後者（普遍&個体）は、私たちが現実に対してどのような態度で向き合うか、という本質に関わります。

研究者にとって、そのどちらに関わるか（理工系の言葉で言えば、理学と工学のどちらを選ぶか）は、人生の大切な時間をかけて何を明らかにしたいのか、という根本課題に関わるとても大切な選択です。ある分野を学ぶ人にとっても同様であり、いったい何を知りたいのか、という根本的な欲求を支える選択です。そして何よりも、私たちが具体的なモデル分析の営みを完成させるためには、この態度（普遍性と個性のどちらを選ぶか）を明確にする必要があるのです。

以上のような理由から、特にこの2つの分類の組み合わせに焦点を当てて解説します。

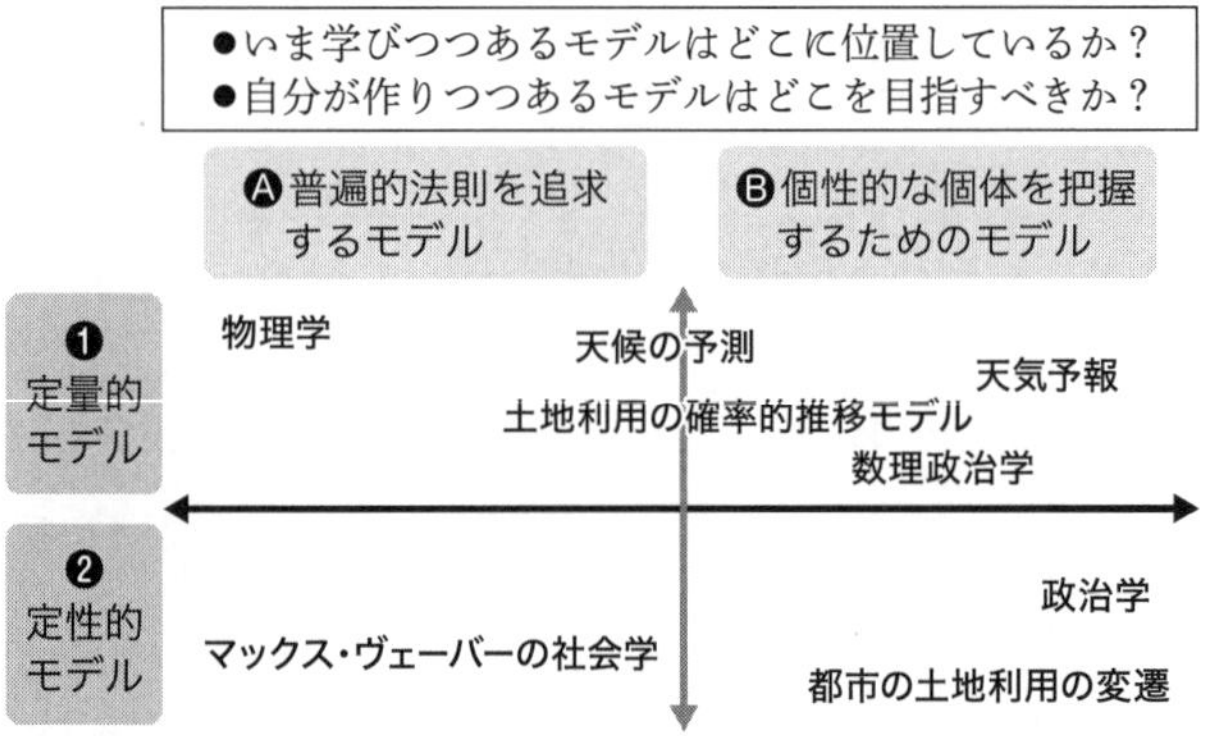

●いま学びつつあるモデルはどこに位置しているか？
●自分が作りつつあるモデルはどこを目指すべきか？

Ⓐ普遍的法則を追求するモデル
Ⓑ個性的な個体を把握するためのモデル

❶定量的モデル
❷定性的モデル

物理学
天候の予測
天気予報
土地利用の確率的推移モデル
数理政治学
政治学
マックス・ヴェーバーの社会学
都市の土地利用の変遷

図6-1　モデルの位置づけマップ「知的営みの地図」

2×2の組み合わせですから、図6－1のように4つの象限ができます。縦軸に沿って上にゆくほど定量的側面が強まり、横軸に沿って左にゆくほど普遍性を追求する度合いが強まる、という次第です。

学問研究を配置してみる

こうしてできるモデル研究の分類地図に、いくつかの学問研究の類型を配置してみましょう。

まず、普遍性と定量性を極限にまで追求する学問として挙げられるのが、「物理学」です。物理学の先端研究に関する説明で、よく出てくる言葉が「統一理論」です（P79）。これこそ物理学が究極の普遍性を目指している証左です。当然、このマップの左上隅に配置されることになります。

「天気予報」は第3章で台風予測について説明す

る際にも触れましたが、「高解像度全球モデル」(P83)という高度なシミュレーションモデルや統計モデルを用いるのですから、定量的度合いが強いことは言うまでもありません。ただし、天気予報は普遍性を過度に追求する必要はありません。当日から向こう数週間の天気の移り変わりを、ある精度以上で予測することができれば十分なものと考えられます。ですから図の右上に配置されることになります。

一方、「天候の予測」となると、地球規模で地球誕生からこちらの天候の移り変わりをモデル化し、その中で現在の地球の天候がどのように位置づけられるかを記述し、さらに将来の天候を予測する、という内容をもっています。天候に磁場が与える影響も解明されつつあります。これは天気予報に比べると、遥かに普遍性を追求する度合い(理学的色彩)の強いものといえるでしょう。だから、図で天気予報よりも、ずっと左側に配置したのです。

筆者が専門とする都市工学の分野では、土地利用図を用いたモデル分析が行われます。都市圏の土地利用の状況(宅地・業務地域・商業地域・工業地域・緑地といった具合です)を地図の上に色分けし、これを異なる都市圏同士で比較したり、ひとつの都市圏での移り変わりを時系列的に比較・分析するのです(中学高校の社会の教材にもなっています)。こうしたモデル分析(図6-1では都市の土地利用の変遷)では、普遍性を追求する度合いは弱く、あくまでも都市圏という個体の特徴把握が目的です。その一方、こうした土地利用が確率的に遷移する様を定式化するモデルも存在します。（次章で説明する）オペレーションズ・リサーチという学問分野で知られた「マルコフ連鎖モデル」という確率モデルを適用するのです。このモデルは定量的であり、普遍性（ある状況から別のある状況に推移する蓋然性はどれほどか？　土地利用は収束するのか？　といった具合）を数学的に追求する内容を持ちます。したがって、図6－1において、土地利用図によるモデル分析に比べると、かなり左上に配置されています（図中の土地利用の確率的推移モデル）。

「政治学」と「数理政治学」の関係も図でご覧ください。ともに歴史的意義を持つ個体（ある範囲の政治的現況と今後の推移）を追求するものですから、かなり右寄りに配置されています。ただし用いる道具が、政治学の場合は定性的モデル、数理政治学の場合は政治的プロセスを表現するさまざまな定量的モデルなので、数理政治学の方は図の上部に配置されています。

マックス・ヴェーバーの社会学はどうでしょうか。用いられているのは社会調査・文献学・定性的分析だから、図で左よりです。ヴェーバーは帰納的モデルと演繹的モデルを駆使しました。そこでは個性を持った個別の主体が、なぜそのように振る舞うのかを詳細に解明します（理解的方法と呼ばれます）。そうしたひとつひとつの事実は、あくまでも個体を把握するためのモデルに過ぎません。しかし、そうしたモデルに共通する特性をヴェーバーは引きずり出しています。そして普遍的な原理・法則の解明へと向かうわけです。そこで、図の左下の象限に配置しています。

自分の立ち位置を確認する

このように、**モデル分析**（**学問研究**）**を、方法論**（**定量的か定性的か**）**と目標**（**普遍性追求か個体の予測か**）**という尺度によって、明解に分類・把握することができる**のです。読者の皆さんが現在学んでいる学問研究や、興味をお持ちの学問の位置を、このマップに配置してみてください。その位置はご自分の望み通りのものですか。自分が本来学びたかった位置、自分の興味と能力や才能に見合った位置にあるでしょうか。このマップで位置を確かめることによって、自分の理想の立ち位置はどこか（自分は本当は何を学ぶべきか）、ということを、あらためて考えるヒントになるのではないでしょうか。

また、現在のところ自分が研究している学問の位置を無批判的に受け入れるのではなく、定量・定性の軸の位置、ならびに普遍・個体の軸の位置を少しずらして研究を展開してゆく可能性を探る上でも、このマップは役立つことになります。

さらに、ひとつのテーマで複数の研究者からなる研究グループを結成するに際して、各メンバーの立ち位置をマップにプロットしてみるのも、良い試みです。メンバーのバランスがとれているか、新メンバーを入れるとするならば、どの位置のメンバーを模索すべきか、といったヒントを与えてくれるものと思われます。

2　研究方法論としてのマクロとミクロ

どちらのアプローチに軸足を置くか

次に、マクロモデルとミクロモデルの視点を追加してみましょう。前節の「定量的―定性的」の軸と、「普遍性の追求―個体の把握」の軸に加えて、「マクロモデル―ミクロモデル」（そしてメゾモデル）という軸を加えるのです。そうすると、図6－2のような三次元のモデル位置づけマップを考えることが可能になります。

私たちが既存の学問を学ぶ際に、対象が同一であっても、自分はマクロとミクロ、どちらのアプローチに軸足を置くのか、その選択によって、学ぶ内容と用いる研究技法の双方が、かなり異なってくる可能性があります。残念ながら人生には時間の限りがありますから、あれもこれもというわけにもいきません。学びがある程度進んだ段階で、納得ずくでマクロモデルとミクロモデルのどちらかを意識して選択すべきだと考えます。

このように説明すると、そのときの選択が一生つきまとうように感じられるかもしれま

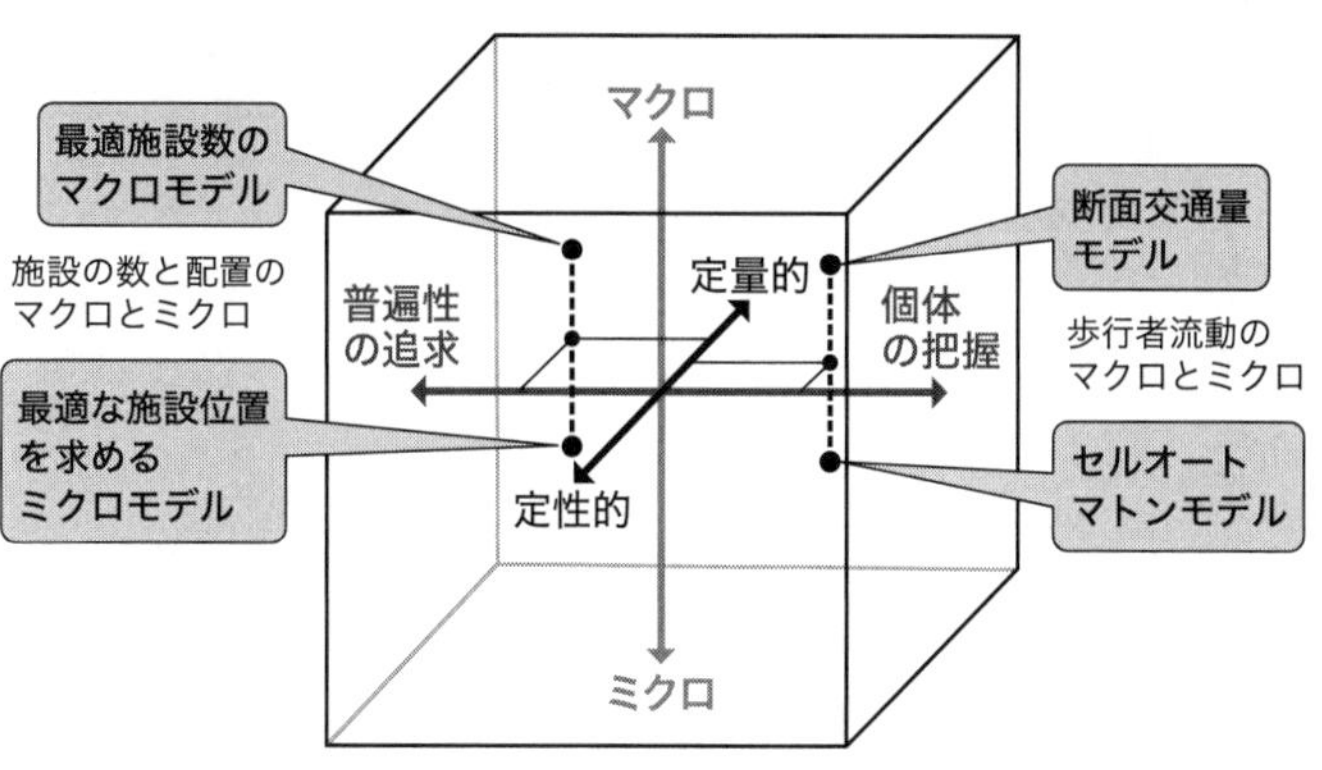

図6-2 「定性的–定量的」「普遍性の追求–個体の把握」「マクロ–ミクロ」の3軸によるモデルの位置づけマップ

せんね。決してそんなことはありません。節目節目で自らの方法論を見直し、場合によっては軸足を置き換えればよいのです。

また、自分が現在、行っているモデル分析がマクロモデルとミクロモデルのどちらであるかを常に意識することも重要です。そして研究の節目において、他方に軸足を移したら魅力的なモデル分析を行えないかな、という問題意識をもつとよいと思います。

いくつかの例を取り上げ、マクロ—ミクロ軸における研究の内容を述べていきましょう。

店舗内の客の行動を記述するミクロモデル

都市・建築空間における人の流れをテーマとする研究を取り上げてみます。これは現実の人の流れに基づく研究ですから、定量的であり、ある特定の場所や建築物に限ったモデルをつくる場合は過度の普遍性は要求されません。

これを記述するマクロモデルに、「断面交通量モデル」というものがあります。このモデルは図6－2の、定量的で個体の把握を行う位置の上部（つまりマクロの域）に位置しています。

簡単な例として、皆さんの目の前に、左右に拡がる1本の商店街があるものとしましょう。この商店街のある地点を通過する歩行者の数（「断面交通量」と呼ばれます）は、その地点の左右に存在する出発地ならびに目的地の数に比例するはずです。具体的には、［左側の買い物客の数］に［右側の目的店舗の数］を掛けたものに、［右側の買い物客の数］に［左側の目的店舗の数］を掛けたものを足した数に比例した断面交通量が実現するはずです。そこで、もしも移動の起点（歩行者の出発位置）と終点（訪れるお店）が商店街に均一に存在すれば、商店街の中央の地点の断面交通量が最も大きくなります（そこでビラを配れば、最も多くの人に手渡すことができそうです）。この考え方に従って道路上の断面交通量をモデル化すると、現実に観測される歩行者の流動を、上手く表現することができる場合が多いのです。その結果から都市計画上の課題を見つけ出したり、商店街の可能性を探ったりできます。

一方、この交通流動をミクロモデルで追いかける営みもあります。このモデルは図6－2の、定量的で個体の把握を行う位置の下部（つまりミクロの域）に位置しています。

たとえば筆者は、大学生協の店舗にカメラを設置させてもらい、一人一人の客（学生諸君）の、来店→店内を流動して商品選択→レジでの支払い→退店、という動きを観察・記録したことがあります。店舗の床を格子状のセルに切り分け、店舗内の客（エージェント）の移動をセルオートマトンモデル（第1章で紹介、P46）で記述したのです。ただし、進行方向の選択や商品陳列棚と経路の選択やレジの選択は、非集計ロジットモデル（第4章で紹介、P11）というミクロモデルによって記述しました。こうしたモデルを求められる水準以上の確度でつくることができると、陳列棚の配置変更の効果、レジの配置や増設の効果、〝ついで買い〟（レジの近くに安い嗜好品を並べると、客がつい手に取ってしまう効果）を見積もるための手段として用いることが可能になります。

昨今ではさらに画像認識の技術が進んでおり、建築空間の内部において一人一人がどこに存在し、どのように動いているかを、リアルタイムで計量化できるようになっています。このミクロモデルは、商業空間の売り上げ向上や、緊急時の避難誘導計画モデルの作成の基盤となるものと思われます。

最適な施設の数を求めるためのマクロモデル

筆者が専門とする都市解析分野から、都市施設配置に関するマクロモデルとミクロモデルを紹介しましょう。これら2つは、都市に必要とされる施設の数の大局的な把握と、具体的な施設の配置、という両面を補完的に支えるものです。これらはともに都市空間の普遍的な事実を定量的に追求するモデルです。

まず取り上げるのは、都市住民にとって最適な施設の数を求めるためのマクロモデルです。この営みは、図6−2の左側に示すように、普遍性を追求し定量的である点の上部（つまりマクロの域）に位置します。

区役所、区立図書館、公立小学校といった都市施設は、すべての住民が同様の機会でサービスを受ける可能性を持っています。これらの施設は、住民の支払う税金によって建設・運営されます。そして住民自らが適当な交通手段で交通費と時間をかけて訪れることにより、はじめてサービスを受けることができます。ここで大切なのは、施設の建設運営費と移動費を、ともに住民が負担しているという事実です。

そこで、ある行政域内の住民が負担する［都市施設の建設運営費］と［移動費を貨幣価値に換算したもの］の（両者を年あたりで積算した）総コストを最小化したいという目標が生じます。

筆者はこの問題を第4章で紹介した次元解析（P113）の作法で解いてみました。ただし、次のようなマクロなモデルを用いました。

・住民が一定面積の都市域に一様に住んでいる
・n個の同種の都市施設を分散配置するものとする
・住民は最寄りの施設に訪れてサービスを受ける
・施設の建設・運営費は割り当てられる利用者（住民）の数に比例する
・施設の「勢力圏」（その施設のサービスを受ける住民が住んでいる領域のこと）は幾何学的に合同である

こうした仮定を置いたのです。牛の問題を考えるときに牛の身体を立方体で置き換え考察したのと同様の態度です。

このモデルで住民が負担する総費用を最小化する問題を数学的に解くと、最適な都市施設の数［nの最適値］が［都市人口］の3分の2乗と、［都市面積］の3分の1乗に比例するという面白い結果が得られます。

これによって、実際の政令指定都市の区の数、市区町村の小学校の数、といったものをかなり上手く表現できることが確かめられます。この関係式は都市域内の施設の最適数を議論する場合に、研究者によって割りとよく引用されています。現実の世界で、経済的合理性に基づく都市施設の運営が行われているらしい、という示唆を得ることができるのです。またこうした作法で、行政圏域間で都市施設の充実度を客観的に比較することも可能になります。このようなマクロモデルの利用法もあるということを知っておいてください。

施設の配置を求めるミクロモデル

前項で述べたように、マクロモデルは施設配置計画の本質をざっくりと理解するために役立ちます。しかし、現実の計画を立てるためには、利用者の分布に対応して施設をどこに実現するかという問題を、ミクロモデルによって具体的に解く必要があります。それは「複数施設の配置モデル」と呼ばれるものです。

この営みは、図6－2の左側に示すように、普遍性を追求し定量的である点の下部（つまりミクロの域）に位置します。

都市域に同一種類の施設を複数設けることを考えます。住民は住所の最寄りの施設を訪れるものと想定しましょう（このときの距離は最近隣距離と呼ばれます）。このとき、住民から施設への距離の総和を最小化する施設の位置を求めるための、ミクロなモデルを考えるのです（住民の平均距離を最小化するといっても同じことです）。

この問題を解くために、都市域内に存在する施設の勢力圏（前頁。その施設を訪れる人たち

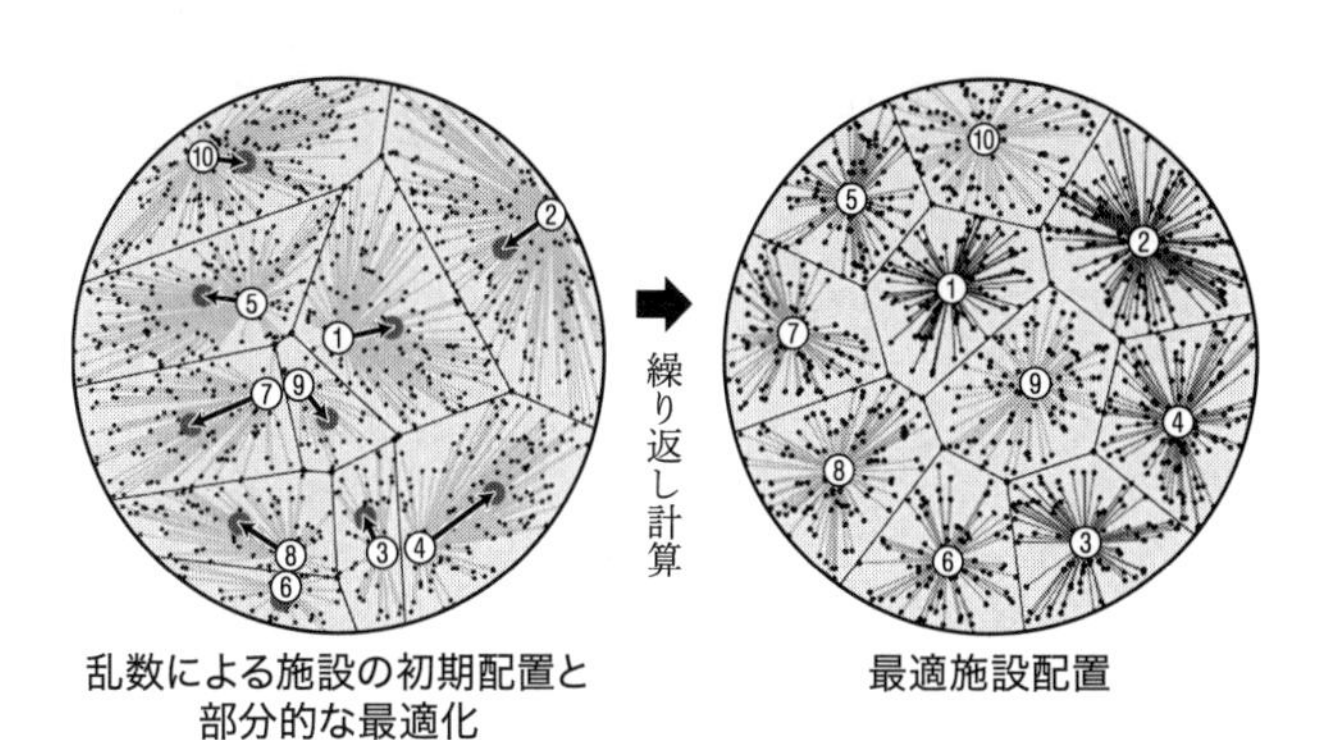

図6-3　複数施設の配置問題の解を求める

が住んでいる領域）を定義します。いま人々が直線距離で移動するものと想定すると、２つの施設の勢力圏の分割は、施設同士を結ぶ線分の垂直二等分線で与えられます。この理屈でつくられる勢力圏図は「ボロノイ図」と呼ばれます。ロシアの数学者ゲオルギ・フェドセビッチ・ボロノイ（１８６８―１９０８）が考案したものです。ただし物理学の分野では、同様の勢力圏分割が「ディリクレ分割」と呼ばれます。

この問題を、筆者はオペレーションズ・リサーチでよく用いられる「繰りかえしアルゴリズム」で解いてみました。

図６－３のように円盤領域内に人の位置を１０００点与えます。これら住民が利用する同一種類の施設を10個設けることにし、その初期配置（仮の位置）を、乱数を用いてランダムに与えました（図６－３左の番号の付された点）。これら10個の点によるボロノイ

図を描き、勢力圏内の人をその施設に割り当てます（図中の人の位置から施設点への線分の通り）。この割り当てを保ったまま、それぞれの施設を最も良い（距離の総和を最小にする）点に移動させます（図6－3左の矢印）。これは施設位置の部分的な最適化です。こうしてできる新しい施設の位置に基づいて、ボロノイ図による勢力圏を構成し直し、人を最寄りの施設に割り当てし直します。その割り当てを保ったまま、それぞれの施設を最も良い点に移動させるのです。この営みを繰り返します。

すると、人々の総距離は（平均距離も）単調に小さくなってゆきます。そして、これ以上は小さくできないという状況に至ったら、それを最適施設配置とするのです。図6－3右に結果が示されています。

ある程度以上に都市化が進展した地域では、道路上の最短経路の距離と直線距離の間に比較的高い相関がみられるので、直線距離に基づくこのミクロなモデルにはそれなりの存在意義があることが分かっています。ただし、具体的な道路ネットワークを利用して人々が移動する場合に、この問題を解ければいいのに、とお考えの読者の皆さんもいらっしゃることでしょう。実はそれも解くことができます。紙面の都合でここでは述べませんが、それは「ネットワーク上のpメディアン問題」と呼ばれ、「整数計画法」というオペレーションズ・リサーチの計算技術によって解くことが可能です。

ここまで述べてきましたが、要するに、**ざっくりとした大枠の理解はマクロモデルで手に入れ、具体的な計画案はミクロモデルによって追求する**のです。

3　静的モデルと動的モデルの視点

ウイルス感染伝播を予測するモデル

静的モデルと動的モデルは、基本的には目的に応じて使い分けるべきです。特に**物事の将来を予測したいときには、必然的に動的モデルを用いる**ことになります。

たとえばウイルス感染の伝播の予測を行う場合には、①未感染者、②感染者、③回復者、④死者というグループの人数をモデルの部品として抽出し、Ⓐ未感染者と感染者が出会うことによってある確率で感染・発症する、Ⓑ感染者はある確率で回復するか死亡する、という現象を、微分方程式系というモデルで記述するのが常です。

これは「SIRモデル」あるいは開発者の名前をとって「カーマック－マッケンドリックモデル」と呼ばれるものです。具体的には、前述の部品①～④が微小な時間推移の下で、相互作用（感染者と未感染者の遭遇による感染）や単独の作用（感染者の治癒）によって変化する量（これが微分です）の数式表現を仮定し、そうしてできる連立微分方程式の解が、現実に観測される①～④を上手く再現できるように、方程式にふくまれる未知のパラメータを推定するのです（これをパラメータチューニングといいます）。

このように、一義的には、考えている対象が本質的に時間による変化をともなうか、という問いかけをした上で、素朴にモデルをこしらえて、現実データに基づいて検証すればよいのです。

もうひとつ、大切なことがあります。それは、**静的モデルをこしらえて分析を行ったら、登場した部品の中に時間とともに変化してゆくものがないだろうか、と自問してみることです。つまり、静的モデルからスタートして動的モデルへの架け橋をつくる。**それによって意味のある仕事ができないだろうか、という問題意識です。実例を挙げてみましょう。

これから述べる例をお読みくだされば、静的モデルが現状の課題に即応するために役立つことがわかります。しかし、解くべき課題の中に時間とともに変化する要素があり、将来に対応する必要があるときには、動的モデルへの架け橋が重要になります。そしてさらに、同一の考察対象に対する静的モデルと動的モデルが、やはり車の両輪のように機能して私たちの理解を深めるために役立つことも、理解できると思います。

動的モデルを用いず、ガラガラになった高齢者施設

四国のある町で、実際にあった出来事です。

高齢者福祉施設に多数の入居希望者があり、長い待ち行列ができていました。町ではその対策として施設の新規建設計画を進めるとともに、地元の高校生たちに「介護福祉士の資格を取れば、社会貢献ができて安定した就職ができますよ」という広報を行ったそうです。現状の待ち行列に対応するための、いわば静的モデルによって新規施設の数を決め、そのために必要な介護福祉士の数を計算したものと想像できます。

そして数年経ってみると……新規施設はガラガラの状態だったのです。当然、新規の介護福祉士もそれほど必要のない状態になっていました。せっかく資格を取得したにもかかわらず、若者たちは目論んでいた就職がかなわず、大都市圏の大手の業者が経営する高齢者福祉施設に就職するために故郷を離れることになってしまいました。いったい、どこで間違えたのでしょうか。

この問題が起きてしまったのは、町の行政担当者が動的モデルを用いなかったせいです。確かに、高齢者福祉施設の増設計画を立てたときには、既存施設は高齢者で満員でしたし、入居希望者もたくさんいたのです。しかし高齢化が進んでいるにせよ、お年寄りは毎年、ある確率で亡くなってしまうのです。これが盲点でした。そうです。第5章で説明したコ

ーホート要因法という動的な人口ピラミッド予測モデルを用いて、計画達成年次に向けた計算を行ってみればよかったのです。

この計算は、当初の人口ピラミッド（男女別年齢階層別人口）と、いくつかの公的な数値（生存率、地域残留率、出生率）さえあれば、表計算ソフトのマイクロソフト・エクセルを用いて行うことができます。パソコンによる業務が得意な町役場の職員さんに依頼すれば、間違いなくやってくれたことでしょう。

在庫管理における静的モデルと動的モデル

在庫管理という営みは、企業や組織が、客からの注文に応じて販売するための商品や資材などの在庫を最適化するための数理的なモデルや手法のことです。在庫管理は、需要と供給の間のバランスを取りつつ、最適な在庫水準を維持することを目指すための重要な経営課題です。

「在庫管理モデル」は、在庫レベルの最適化や発注ポリシーの設計に関連する数学的な手法やアルゴリズムを提供します。これにより、在庫コストを最小限に抑えつつ、需要の満足度やサービス水準を高めることを追求するのです。その際、在庫量をむやみに増やすと、保管しておく空間を余計に確保せねばなりませんし、管理のための電気代や人件費が増えてしまいます。つまり在庫はなるべく少ないほうが良いのです。しかし他方、その物品に対する客からの発注があったときに在庫量が足りなければ、せっかくの儲けの機会を逸してしまいます。

このような背景の下で、静的な在庫管理モデルは、特定の時点での最適な在庫レベルや発注量を与えることを目的とします。これは在庫コストと発注コストのバランスを取りながら最適な発注量を計算します。その際に、需要が等間隔で一律の量であると想定し、「リードタイム」（必要な物品を発注してから入手できるまでの時間）が一定であるものと仮定して、発注コストと保管コストの合計が最小となる発注量を求めるのです。

静的な在庫管理モデルによって最適な発注スケジューリングを求めることはできますが、実際の取引を観察すると、需要というものが等間隔で一律ということは、あまりありません。そこにはさまざまな変動があります。季節による変動や、新製品への買い替え需要も考えられます。それに対応するのが動的な在庫管理モデルです。

動的在庫管理モデルは、時間の経過に伴う需要や供給の変動を考慮して在庫を管理します。需要予測や在庫レベルのモニタリングを行って、需要と供給の変動に対応しながら最適な在庫レベルや発注量を決定するのです。需要予測を行うに当たっては、多くの場合に「時系列予測モデル」という、過去のデータを基に将来の需要を予測するためのモデルが用いられます。

興味深い例に、コピー機のトナーの需要予測が挙げられます。標準的な業務を想定するとき、前にトナーを買ってから次にトナーが必要になるまでの期間は予測可能です。つまり、こうした消耗品には周期性があることが分かっており、それに基づく需要予測と在庫管理、ひいては生産管理（生産スケジューリング）が行われる例もあります。

アイス売り2人の立地競争問題

次に、地域科学の分野でよく知られている「店舗の立地競争モデル」と「計画的配置モデル」の両者を取り上げます。前者は動的モデル、後者が静的モデルです。

まずは、経済学者ハロルド・ホテリング（1895—1973）による、店舗の立地競争の動的モデルを取り上げ説明しましょう。「ホテリングの浜辺のアイス売りの問題」として地域科学や都市計画の分野で教えられている内容です。オリジナルはホテリング博士の1929年の論文 Stability in competition (*Economic Journal*, Vol.39, pp. 41-57) で提案されたモデルですが、その後多くの研究者によって論述され、さまざまな一般化がなされています。

細長い浜辺で、2人のアイス売りAとBが競争をしているものとしましょう。ただし、次のような条件の下での売り上げ競争です。

・2人は同一のアイスを同一の価格で売る
・2人は浜辺のどこへでも屋台を動かすことができ、移動費用はゼロである
・2人はそれぞれ自分の売上を最大化すべく交互に移動する
・浜辺に一様に存在する海水浴客は、最寄りの店を訪れて1個ずつアイスを買う
・客の移動費用は考慮しない

考察の見通しをよくするために、2人は朝一番に立地点を決め、その日はそこで商売するものとしましょう。そして翌日はAだけが立地点を変更できるものとします。2日目の商売が行われます。その翌日はBだけが立地点を変更できるものとします。3日目の商売が行われます。その翌日はAだけが……。このように、AとBが日にちの経過とともに、交互に立地点を変更してゆくのです。2人のアイス売りは自らの売り上げを伸ばそうとしますが、その結果、どのような立地ならびに商圏（その商業施設へ来る客が存在する領域）が出現するでしょうか？

このことを考えるために、浜辺を図6－4のような一次元の区間とし、2人のアイス売

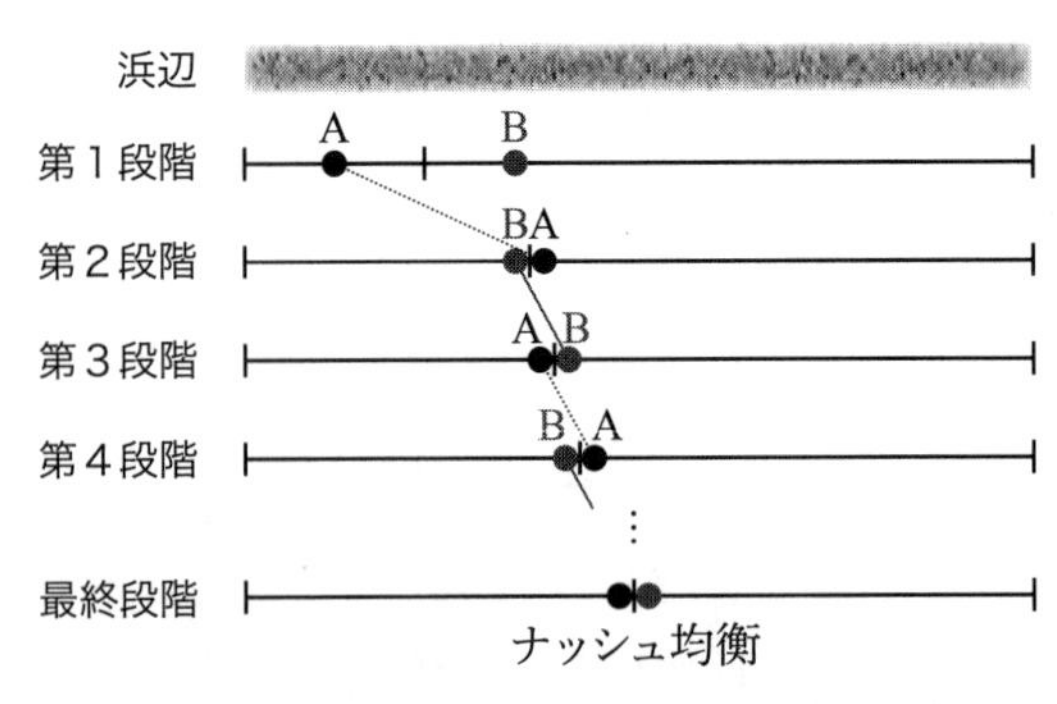

図6-4　浜辺における２人のアイス売りの立地競争ゲーム

りの位置を点Aと点Bで表します。最初は２人が、図６－４の第１段階のように立地しているものとしましょう（「Aはなぜ、わざわざ浜辺の左端寄りで商売してるんだろう？」と思った方は、２人の立地競争が始まる前日まで、Bの右側に複数のアイス売りが屋台を出していた状況を想像してください）。浜辺の客は、近い方の屋台でアイスを買いますから、商圏の境界は2点A、Bの中点になります（図中の短い縦棒）。アイス売りの一日の売上高が自分の商圏の長さに比例することは言うまでもありません。

まず、アイス売りAは、自分の商圏を最大化するために、図６－４の第2段階のように移動します。これではアイス売りBはうれしくないですね。そこで第3段階のように移動する。するとアイス売りAは第4段階のように……。このように2人の売り子は延々と（馬飛びをするように）屋台の位置を移動させてゆくことになります。そして、その行き着く先が、図６－４の最終段階です。２人のアイス売りが浜辺のちょうど中央で対峙し、抜き差しならない状況です。このとき、アイス売り双方について、次のことが成り立っています。

相手の立地を所与とするときに、こちらがどの様に立地点を変えようとも、もはや、こちらの売り上げを増加させることはできない。

図６－４の最終段階において、立地点を変えたら、変えた方の商圏が狭くなることが容易にわかりますね。これはゲーム理論でよく知られた「ナッシュ均衡」にほかなりません。ゲーム理論では、「相手の戦略を所与とするときに、こちらが戦略を変更することによって利得を増加させることができない事態が全プレイヤーについて成り立つ状況」をナッシュ均衡と定義するのです。これは、数学者ジョン・ナッシュ（１９２８―２０１５）が定式化した「非協力ゲーム」の大切な概念です。今回の競争立地ゲームにおいては、戦略は自分の立地点を決めること、利得は商圏の大きさを意味します。ホテリングのモデルは、典型的な非協力競争ゲームです。

さらに、この例の場合、２人の利益は同じであり、アイスクリーム売りにとって、一応納得のゆく結果といってよいでしょう。何よりも、ＡとＢの最初の位置によらず、この均

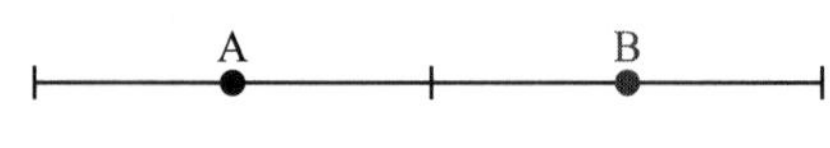

図6-5　静的モデルによる計画的な配置
(客の平均移動距離はナッシュ均衡立地の半分)

衡が達成されるのが興味深いところです。

アイスを買う客の立場から見たモデル

では、この自由競争のナッシュ均衡立地を海水浴客の立場から評価するといかがでしょうか。そのために、図6－5に1つの配置を示します。この図の場合、2つの商圏は浜辺を等分しているから、アイスクリーム売りの利益の面では自由競争の均衡立地と同じです。ところが、海水浴客の平均移動距離は自由競争の均衡立地の2分の1となっていることに注目してください。海水浴客の立場からすれば計画的配置の方を歓迎すべきであることはいうまでもないでしょう。

実は、図6－5の配置は、「一様に分布する人々から最寄施設への平均距離を最小化する最適化モデル」の解にほかなりません。こちらは計画的配置とでも呼ぶべきものです。なおこの問題については、前節で、施設の配置を決める二次元平面の問題をボロノイ図を用いて解くモデルとしても取り上げました。この問題には、さらに第9章でも再び焦点を当てます。

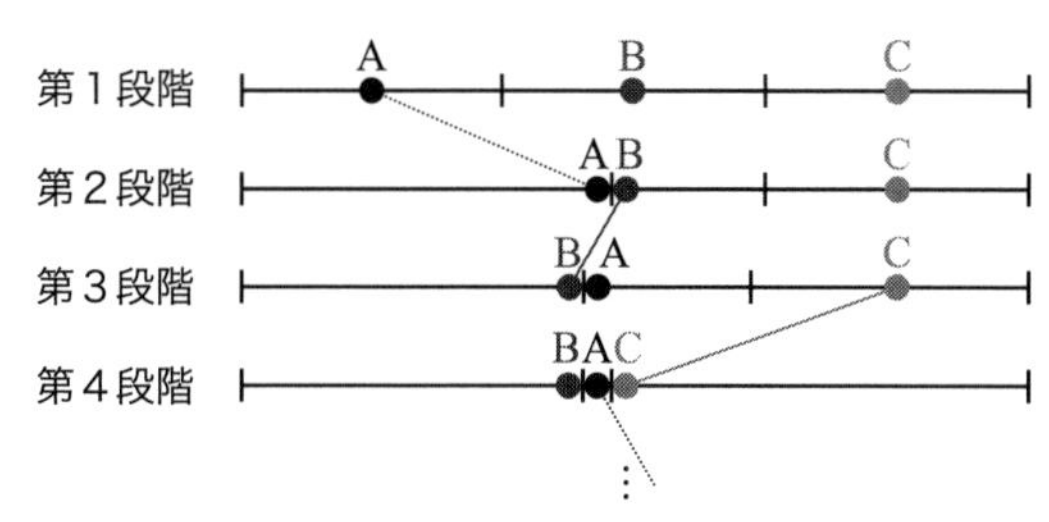

図6-6　3人のアイス売りの終わらない競争

アイス売りが3人以上いる場合

さて、アイス売りのモデルに興味をお持ちくださった読者の皆さんのために、アイス売りが３人いる場合のモデル分析も紹介しましょう。このときは２人の場合とは異なり、自由競争の結果のナッシュ均衡立地は存在しません。その様子を図６－６に示します。この図ではA、B、Cの順に移動するとして、アイス売りの競争を図化しました。この競争は何時まで経っても終わることがありません。なぜならば、この競争は早晩、３人の団子状態に陥ります（図６－６の第４段階）。すると、団子の真ん中のアイス売りの商圏が消え去り（つまり売上高がゼロになり）、たまらず、他のどちらかのアイス売りの外側に飛び出すことになるのです。これでは、いつまで経っても均衡に至りませんね。

興味深いことに、アイス売りが４人ならびに５人のときは、ナッシュ均衡立地が存在します。それを図６－７に示します。どのアイスクリーム売りにしても、他の面々の立地を所与と

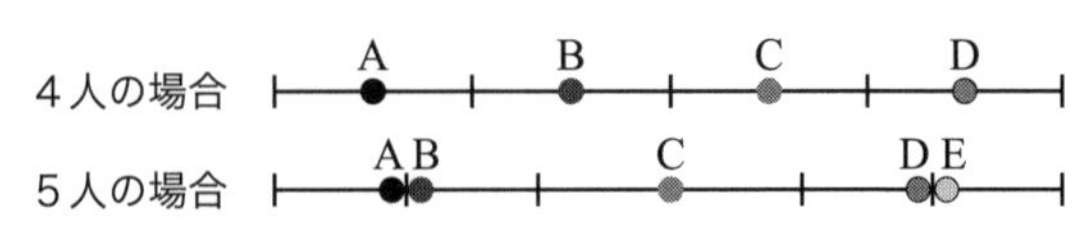

図6-7　4人ならびに5人のアイス売りのナッシュ均衡立地

するとき、現在の自分の立地が最適であることを確認してみてください。自分だけが動いて、自分の商圏を現在よりも大きくすることが不可能であることを納得してくだされればよいのです（現在の商圏の大きさと同じになる立地点は、いずれかのプレイヤーにとって存在しますよ）。

図6－7の5人の場合のナッシュ均衡立地には、ひとつの著しい特徴があることにお気づきでしょうか。実はアイス売りCの商圏の大きさが、他の4人のアイス売りの商圏の大きさの2倍なのです。ナッシュ均衡という概念は、ゲームのプレイヤーの利得が一律であることを、必ずしも意味しないのです。

動的である立地競争モデルと、静的である最適配置モデルという2つの眼鏡を通じて、施設の配置に関する洞察を得ることができます。なお、これらの問題は、①施設利用者の分布が一様でない場合、②二次元の都市平面の場合、③商品の提供価格と店舗への移動コストを考慮した場合、④客が複数の店舗をその魅力と移動コストに応じて確率的に選択する場合、といった各状況に向けた多面的な「らせん的展開」（次章で詳述します）を遂げていきます。

第7章

モデル思考のための学問「オペレーションズ・リサーチ」

――キーワードは「らせん的展開」――

第1章で交通流のモデルが生み出されるプロセス（理学的な発見から工学的な応用へ）を述べました。それはモデル分析とはどのようなものかを、実例を通してお伝えするためのものでした。そして続く2章から第5章にかけてモデルの4通りの分類法と実例を紹介し、第6章ではそうした分類法を組み合わせることによって得られる研究マップの効用を述べました。このようにさまざまなモデルの例を取り上げてきましたが、一貫するテーマは、（序章で指摘した通り）目的合理的に思考して意思決定に役立てるための思考の技術、というものでした。

実は、モデル分析を人間・組織・産業・社会の目的合理的な意思決定に役立てるための重要な学問に、「オペレーションズ・リサーチ」（略してOR）というものがあります。ORは現代社会の実に多くの場面で、縁の下の力持ちとして大いに活躍しています。本書のテーマであるモデル思考というものに焦点を当てるためには、学問としてのORに関する解説を避けて通ることはできません。

そこで本章では、このORの誕生の歴史を概観し、ORの中核をなす「計画数学」というモデル分析の営みに焦点を当てます。そして計画数学が用いる「数理モデル」の典型的なこしらえ方と、それを役立つものへと進化させてゆくために最重要な作法である「らせん的展開」の本質を、読者の皆さんにお伝えすることにしました。後述するモデル構築の方法と、らせん的展開の営みは、文系と理系の別を問わず、いろいろなモデル思考の局面で参考になるものと思われます。

１　オペレーションズ・リサーチの誕生

戦争を通じて開発された学問

オペレーションズ・リサーチとは、限られた資源を目的に応じて最も良い方法で利用するための〝やり方〟を科学的に考える学問であり、モデルを拠(よ)り所とする点に大きな特徴があります。アメリカ英語では operations research・イギリス英語で operational research と呼ばれ、前述の通り、よくＯＲ(オーアール)と略されます。英語を直訳すると「作戦研究」となることからもおわかりの通り、この現実へのアプローチ法は、戦争を通じて開発されました。

ＯＲの始まりは、第二次世界大戦時の英国で、大戦開始の少し前である１９３５年のことでした。ロンドン大学インペリアルカレッジ学長のヘンリー・Ｔ・ティザード（１８８５―１９５９）を長とする防空委員会が英国航空省に設置されました。委員のパトリック・Ｍ・Ｓ・ブラケット（１８９７―１９７４、マンチェスター大学教授、１９４８年に原子核物理学および宇宙線の分野における貢献によってノーベル物理学賞受賞）を中心にして「オペレーションズ・

リサーチ組織」が結成されたのです。そしてドイツ軍の空爆からロンドンを守るために、当時の最先端技術であったレーダー網の配備計画、ならびに迎撃機の発進作戦が科学的に立案されました。この戦いは「バトル・オブ・ブリテン」として知られています。

こうして誕生した分析作法は、直ちに米国にも伝えられました。米軍はＯＲのモデルを用いて、ドイツ軍の潜水艦「Ｕボート」から米英の輸送船団を守る作戦や、日本の神風特別攻撃隊から艦船を守るための有効な作戦等々を立てました。

時代は少し前後しますが、19世紀末までには近代経済学という、人間の最適な行動を前提とし、数学モデルを本質的に活用した学問が相当の進展を遂げていました。その典型はフランスの経済学者レオン・ワルラス（１８３４―１９１０）の一般均衡理論です。ワルラス博士らの新世代の経済学者は、微分の概念（彼らはこれに「限界」という用語を充てました）を駆使してモデルを構築したので、その営みはのちに「限界革命」と呼ばれました。

研究者の目が、こうした応用数理的なアプローチを経済現象以外の人間の営みにも応用してみよう、という発想に向かうのは必然です。この状況に加えて、いくつもの国々で数理科学に関係する分野で優秀な頭脳が育ちつつある状況でした。そしてここで、第二次世界大戦が起きたのです。モデル分析による意思決定の技術を人間の営み、とりわけ一国の将来を左右する戦争に応用することは自然の流れだったことでしょう。

しかも日本とは異なり、欧米列強は軍国主義の体制下にありました。軍国主義とは産官学のすべてが一致協力して戦争の遂行に協力する体制のことです。

日本の場合は、戦争に対する学問の寄与が徹底的に欠けた体制をとっていたので、軍国主義とは呼べません。日本の場合は軍部独裁主義とでも呼ぶべきものです。目的合理的な作戦立案ではなく、発想の原点は神国日本という物語にありました。特に戦争の最終局面にかけては、「とことこに至ったら決行するしかない」という非合理的な説明で作戦が行われました（戦艦大和の出撃がその典型的な例）。チェックアンドバランス（checks and balances）の機能（権力を分散させることにより特定部門の行き過ぎを抑える仕組みのこと）がまったく存在しなかったのです。

限られた予算・資源・時間の下での最大の成果

一方、英米では優秀な大学人たちが大挙して軍部に協力し、作戦立案の技術としてのオペレーションズ・リサーチを誕生させるに至りました。

このような歴史的展開の下で、第二次世界大戦中にOR研究に携わった学者の数は英米あわせて1500人はいたことが知られています。その中には経済学に転向し、後にノーベル経済学賞を受賞した、ケネス・アロー（1921―2017）やミルトン・フリードマン

（1912―2006）もいたと指摘されています。

戦争が終結すると、そこで養われた技術を起点として、また数学を目的合理的に用いるという信念を携えて、これらの学者たちが今日につながるORというモデル分析の学術を育ててゆきました。ORのもつ、限られた予算・資源・時間の下で最大の成果を上げるべく物事のやり方を決めるという本質が、戦争のみならず、組織や社会や個人のさまざまな意思決定に役立つことが判明したのです。

ORは産業のさまざまな局面における合理化に大いに貢献しました。また、社会問題への適用という面で先陣を切って用いられたのは交通計画学の分野でした。そして現在では、社会の津々浦々で、オペレーションズ・リサーチの中核をなす技術である計画数学（後述）のモデル分析が活躍しています。

わが国でも1960年代からの高度経済成長のプロセスにおいて、計り知れぬほどの大きな役割を果たしたことが知られています。そして、現在では産業部門はもちろん、公共部門へのORの適用も進みつつあり、今日（こんにち）的な多くの研究（たとえば筆者も所属する都市のORグループの研究）が精力的に進められています。

2 計画数学とは何か

超高層ビル建設に必要なさまざまな工学

オペレーションズ・リサーチそのものは、物事の目的合理的な進め方に関するあれもこれも（定量的と定性的の別さえ問わず）を包含する技術体系です。その中にあって、最適化数学の理論に基づいて、物事を計画することを支援するために用いられる数学モデルの枠組みならびに解法（提案すべき解の数学的な求め方）は「計画数学」と呼ばれ、ＯＲの中核をなしています。

計画数学の実例は次のような内容です。

- ある仕事を成し遂げたいときに、どのような段取りで計画・実行するのが合理的か（仕事のスケジューリング）
- 組織や社会の要求に応じて、いかなるハードやソフトを設計すればよいか（ハードやソフトの設計）
- そのために必要な数学理論とコンピュータによる計算アルゴリズム（最適解を求める数学

適用の場は、実に多岐にわたります。企業の生産計画・物流・商品開発・市場調査・投資計画、土木分野での建設工事のスケジューリング・交通需要予測・プロジェクト間の優劣分岐分析と損益分岐分析、建築分野での建設工事のスケジューリング・動線計画、都市計画分野での施設配置計画・防災計画・公共施設の統廃合計画、マーケティング分野での出店計画・商品開発計画、情報・通信分野での種々のネットワーク計画……まさに枚挙に暇がありません。そしてこれらを支える技術的・理論的な基盤として、重要な役割を果たします。また、計画数学の主たる柱に「数理計画法」があり、これは制約条件の下で最も望ましい解を求めるための理論と計算法（アルゴリズム）を追求することによって、数理科学の基盤となっています。

たとえば1つの超高層ビルを建設するに際して必要な技術を考えてみましょう。そこにはもちろん、材料力学、コンクリート工学、昇降機工学、地盤工学、といった、高層ビルをハード面から支えるための一連の工学技術が不可欠であることはいうまでもないことです。しかし、ハードな工学だけではビルは建ちません。設計の段階で、どのような空間設計とするか、たとえば「エレベーターバンク（複数のエレベーターが並ぶエレベーターホールのこと）の構成とエレベーターの運行制御をどのように与えるか」などを、計画数学によって決定する必要があります。

さらには通常時と非常時の人の流れを想定し、それに見合った通路を設計せねばなりません。これも動線計画という計画数学です。そして、そもそも建てるビルが商業施設を含む場合は、周辺の競合施設との兼ね合いで、いったいどれだけのお客さんが来てくれるかを予測しなければ、建設プロジェクトの価値（次章で述べます）を見積もっておくこともできません。加えて、建築資材の調達に始まり工法に依存する仕事の全体像を想定したスケジューリングを、ＰＥＲＴ（Program Evaluation and Review Technique の略号、日本では「パート」と呼ばれる）というＯＲの技術（次項で説明）に従って実行することになります。

一連のハードな工学とソフトな工学（計画数学）が、車の両輪となって働くことにより、初めて大規模なプロジェクトが実施できる、という次第です。

飛行機の座席数を決定するための最適化モデル

大規模プロジェクトの工程管理を行う技術であるＰＥＲＴについて説明しておきます。これはもともと、ポラリス原子力潜水艦に搭載するための核弾道ミサイルを完成させるために、米国のＯＲワーカーによって開発された技法です。

仕事を個別の要素に、ミクロに分解し、仕事間の時間的な前後関係を矢印で表します。「仕事Bを始めるためには仕事Aが終わっている必要がある」「仕事Dを始めるためには仕事Bと仕事Cが終わっている必要がある」をそれぞれ、A↓B、B↓D、C↓Dという具合に表現するのです。こうして出来上がった「アローダイヤグラム」と呼ばれる、方向づけされたネットワーク上で、プロジェクト完了までのワークフローを分析します。具体的には、その仕事要素が遅れたら、遅れた分だけ完成が遅れるというクリティカルな箇所を見つけ出し、遅延が起きないように合理的に管理するのです。

このように、元は大量破壊兵器をつくるための工程を管理する物騒なものだったのですが、現在、大規模工事（橋梁、トンネル、ダム、超高層ビルなど）の工程管理には、PERTが必須のモデルとして用いられています。

他にも、有名な例として、高度成長期に日本のメーカーによって戦後初めて開発され、国内の航空路線はもとより自衛隊や海上保安庁でも活躍した航空機「YS－11」の座席数決定（すなわち設計時点で航空機をどの大きさにするか）にもOR技術に基づく計画数学のモデル分析が用いられました。これは、のちに日本学術会議会長に就任した、航空工学とオペレーションズ・リサーチが専門の工学博士・近藤次郎（1917―2015、元日本オペレーションズ・リサーチ学会会長）の仕事です。

座席数が少なすぎると積み残しが生じ、せっかくの運賃収入を逃してしまいます（これを「機会損失」といいます）。その逆に、座席数が多すぎると空席が生じ、無駄に燃料を消費することになります。近藤は、このトレードオフ関係の下で客数の確率分布（一日当たりに何人の客が来るかを確率表現したもの）を想定し、「良い落としどころ」としての適切な座席数を決定するための最適化モデルを開発しました。

このタイプの問題は、オペレーションズ・リサーチでは有名な newsboy problem（新聞売り子問題）という問題と同型です（毎日の客数に確率的なばらつきがあるときに、新聞の最適仕入れ部数を求める問題）。近藤は座席数を増やすと航空機の重量が増えてエネルギー的に不利になるという航空工学の仕組みも組み込んで、新聞売り子問題を一般化して用いました。

これらの事例だけからでも（他にも無数の事例がありますが）、計画数学ひいてはオペレーションズ・リサーチの、産業界と社会における意義がご理解いただけると思います。一般の人々の目につかないところで活躍する、縁の下の大変な力持ちなのです。

計画数学の要諦は、その目的合理性の追求にあります。ある目的に沿った最もよい方法や設計案を求める、ある目的に沿った対処の仕方が存在するかどうかを見極める（数学の言葉を用いれば「存在定理」の証明）といった具合です。そして、このようなモデル分析を行う場合、そこには典型的なプロセスがあるのです。以下では、まず、準備として、そもそも計画数学で用いられる「数理モデル」とは何か、ということを簡単に解説し、続いてモデル分析のプロセスを述べることにします。

3 数理モデルとは何か

厳密で詳細な分析と設計を可能にする

計画数学は「数理モデル」を用いて思考し、最も良い計画をたてることを目指します。ところで、第2章で「定量的モデル」を取り上げ解説しましたが、これと数理モデルの違いは何でしょうか。広い意味では両者は同じものとして取り扱われます。一方、狭い意味では、定量的モデル＝データに基づき主として統計学的なアプローチによって物事を解明するもの、数理モデル＝数学的な表現や数式を駆使して現象をモデル化するもの、という使い分けがなされています。この章で説明する内容は、現象の中にある種の構造を見いだしてモデルをつくるという物語なので、狭い意味での数理モデルを取り扱うことになります。

数理モデルは理工系のあらゆる分野で多用されるアプローチ法ですが、次に述べていく①〜④の4つの利点を持っています。

①計画においてキーとなる要因同士の関係を（定性的な思考では到達するのが困難なレベルまで）明らかにすることが可能な場合がある

たとえば鉄道が地域を分断していて、住民が「開かずの踏切」によって不便を強いられているものとします。このとき、土木工事によって鉄道を立体的に横切る「自由連絡通路」を建設すれば便利になる、という定性的事実は、誰の目にも明らかでしょう。しかし、どの程度便利になるかを、あらかじめ見積もることができなければ、公共投資に見合ったサービス水準の向上がもたらされるかどうかが不明です。数理モデルは「ある地点に連絡通路を建設する」という「要因」が、「住民の鉄道を跨ぐ移動時間の低減量」という「結果」に、どのように効くのかを、数値によって与えることができます。

数理モデルは、このように、具体的な数値によって計画の効果を見積もれるという大きな美徳をもっているのです。この美徳があるからこそ、数理モデルの適用対象は時代とともに拡大して来ました。構成要素に計測可能な面が多くある場合には、特に有効なのです。

②計画を通じて決めることができる変数をモデルに組み込むことによって、最適な設計の提案や、方策の効果予測に役立てることができる

これは、数理モデルが具体的な設計に寄与できることを意味します。数理モデルなどなくても、合理的な定性的思考によって、ご先祖様はさまざまな物事に関して設計を行ってきたのですが、数理モデルが、さらに厳密で詳細な分析と設計案の作成を可能にしました。

たとえば、古代ローマ時代の都市・建築設計の指南書であった『ウィトルーウィウス建築書』の第一書第7章には「小路が割付けられ大路が設定されたなら、神殿・フォルム・その他の公共の場所に対する敷地の選定が、市民の利便利用に適うように、行なわれなければならぬ」と記されています。フォルムとは公共の広場のことです。このように「市民の利便」という要件が定性的分析の組上にのぼせられたのです。結果として、都市の中心付近に公共施設が配置されます。

このように、かつては定性的であった施設配置計画ですが、現在の都市計画理論では、住民から施設への移動距離の和を最小化する、都市のORの最適施設配置モデルによって、厳密かつ多面的に取り扱えるようになっています。施設の位置座標（つまり「計画を通じて決めることができる変数」）を数値で与える→住民の移動距離の指標（すなわちサービス水準）が計算できる、という仕組みによって、最適な施設配置を数学的に追求できるのです。今日ではさらに、複数の候補地が与えられた状況下で、さまざまな規準（最適化のルール）に基づいて、想定される人口分布の下での最適配置が計算できるモデルが開発されています

（「非線形計画法」や「整数計画法」という計算技術に依っています）。その具体的な例については、第9章で解説します。

③モデルの前提条件や制約条件が共通であれば、時間的・空間的に異なる対象に対して、モデルを移植して利用することができる場合がある

数理モデルが持っている普遍性の効用です。学術用語ではパラメータの移転可能性（transferability）と表現するのですが、あるモデルをひとつの時空間に当てはめて、モデルがもつ未知のパラメータを推定したとします。これが別の時空間でのモデルのパラメータ値に移転できれば、時間と労力の削減になり、とてもうれしいことです。

A県で行った消費者の購買行動調査に基づき、商品の選択行動モデルに含まれるパラメータを推定した。このパラメータをB県において商品の販売計画を立案するときに用いてみよう、という具合です。上手く行けば時間と調査費用を節約できてうれしいですね。A国で治験を行って新薬の効き目が統計学的に確かめられた。だからB国の患者に使ってみよう、というのも同様のことです。

④現実には存在しない（あるいはかつては存在した）**組織や空間の構造を前提として、関係者**

が享受するサービス水準やコスト水準などを把握でき、ひいては現実を改善できる可能性を理解することができる

学術の世界には、仮想的な状況設定をした上で、ある目標を達成するための理想的な設計法を記述する、といったタイプの研究成果が蓄積されています。

たとえば、都市空間の形状を円や正方形で与え、建築物が存在しない真っ新の状態で（もしも既存の建築物があったら、そこには新たなる施設を設けられません）、住民へのサービスを高水準で達成するように同種の複数施設を配置したら、どのような解が得られるか、といった問題を計画数学の技法で求めた結果がそれに当たります。

現実の世界では、都市域の内部に昔からの公園や寺院があったり、池沼などの自然物が存在します。都市計画法によって、この場所にはこの種の施設を設けることはできない、という事情もあり得ます。当然のことですが、これらを無視して新たなる施設を設けることはできません。つまり、真っ新の状態の都市平面で立案した施設配置計画は、（既存建築を破壊したり池沼を埋め立てたり、法律を改定したりすることによってしか実現できない）最高水準の解を意味しているのです。

現実的には、既存の構造物や法規制のために、そうした理想の解を実現することは、ほとんど不可能です。しかしながら、いろいろな条件をクリアして効率性を達成しようとするときに、それ以上の解は理論的に存在しない、という理想的な解を手許に置いておくことは、都市の改善を考える上での有用な情報となるのです。筆者は、このような理想的（あるいは空想的）状況下での解を理論的に導出する営みを「ユートピアの計画数学」と呼んでいます。

今まで述べてきたように、さまざまな側面をもつ数理モデルですが、次節でその具体的なプロセスを述べることにしましょう。キーワードは「らせん的展開」です。

4　数理モデル分析の流れと「らせん的展開」

〈現実の世界〉と〈数学の世界〉

数理モデル分析を進めるときの、典型的な作業フローを図7－1に示します。端的に述べると、数理モデル分析とはこの図において、**❶観察と整理**→**❷定式化**→**❸数理モデル**→**❹結果の記述**という段階を順にたどっていく行為なのです。これによって、分析者の目前にある〈現実の世界〉から抽象的な〈数学の世界〉に移り、そこでの論理操作を経た上で、また〈現実の世界〉に戻ってくるのです。詳しく説明しましょう。

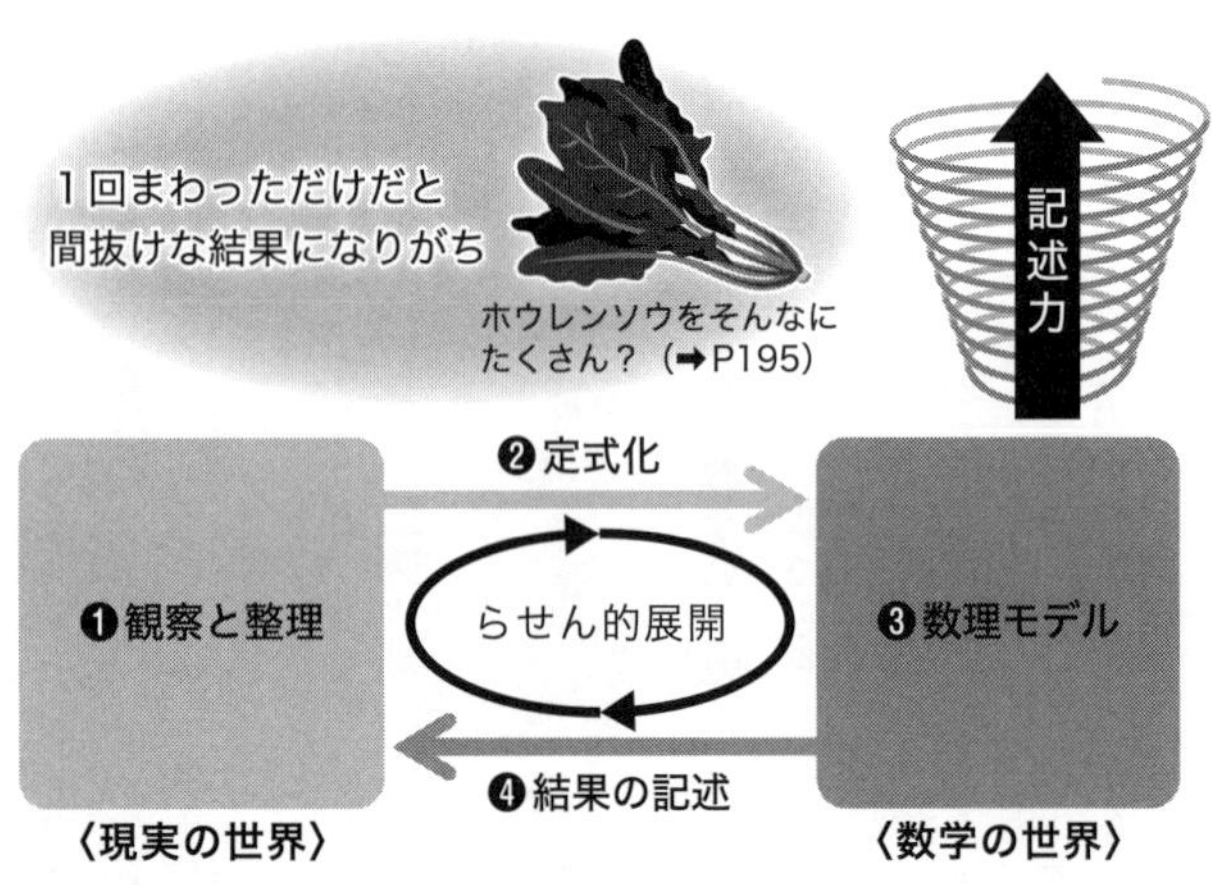

図7-1　モデル分析の流れとらせん的展開

❶観察と整理

計画数学による営みは純粋数学とは異なり、眼前の現実からスタートします。私たちは現実の世界を観察することによって、「そこに存在する問題を解決したい」「不思議を感じ、その原因を知りたい」「ある価値観に沿って最良の状態を実現したい」といった願いを持ちます。あるいは他者からお願いされることもあるでしょう。こうした願いを叶えるためには、ただぼんやりと「なんとかなればいいな」と思っているのではだめで、何が問題なのかを見極めねばなりません。具体的には、次のことが必要です。

①問題意識をもつ（誰にとっての問題か、とい

う価値観を明確に意識する）

②関係する諸要因（序章で述べたモデルの「部品」）を抽出する

③問題の定義（言語による記述）を行う

すなわち、**現実の世界で何が起きていて、それについて何が求められているのかを、言語の形で表現することが、モデル分析のスタート点なのです。このとき何よりも大切なのは、論理的にものを見る力と、国語の力です。**

❷定式化

次に、自分が明らかにしたい問題に含まれる部品（自らが抽出した要素です）を変数や記号に置き換え、記号で表されたものの間の時間的前後関係や、変数の間の関数関係を数学記号によって表現します。これを定式化といいます。

この章で述べた大規模な工事の工程管理を行うモデルであれば、2つの仕事という要素をAならびにBという記号で表現し、Bを始めるためにはAが終わっていなければならない、という事情を、A→Bと表現するなどして、全体像を記述します。

さらに、最適投資モデルであれば、投資額という部品をx、リターン（利益）という部品をyとして、yをxで表す数式表現（すなわち関数）を設けたりします。このとき、そうした要素の数が少なければ少ないほど分析が容易になるので、❶観察と整理において、問題を定義するために抽出する要素は、できるだけ少ないように努力しておくことが大切です。

定式化は、そこで用いる数学の内容に強く依存します。豊富な数学の分野（数理計画法、グラフ理論とネットワーク理論、応用確率論、微分方程式論……）に通ずると同時に、どの種類の数学でモデルを構築すれば解きたい問題が解けるかを知らなければなりません。そのために、次のような選択肢から相応しいモデルを選びます。

- モデルの緻密さをどのレベルに設定するか（**ミクロモデル**か**マクロモデル**か）
- **線形モデル**（ある量を別のいくつかの量に係数を掛けて足し合わせたもので表現するモデル。たとえば製造現場での材料費は、材料1と材料2の単価に各々の購入量を掛けて足し合わせたものになります）、**非線形モデル**（ある量を別の量に係数を掛けただけでは表せないモデル。たとえば第4章のミクロ経済学で出てきたリンゴの効用関数がそれです。リンゴ好きの人でも、手許にたくさんリンゴを持っているほど、新たに1個手に入ったときの効用〈うれしさの尺度〉の増加分は小さくなると考えられます。これが典型的な非線形の関数です）のどちらを採用するか
- **離散的モデル**（変数が0、1、2といった離散的な数〈整数値〉をとるモデル）と**連続的モデル**

〈変数が連続量〈実数値〉〉のどちらを採用するか

こうして、適切な定式化を行います。ここでいう〝適切〟とは、時間と費用の制約を満足し、かつ必要な記述力を確保する、という意味です。

❸数理モデル

定式化を終えると、現実世界の問題が抽象的な数学の変数と記号で表現される数学の問題に置き換えられています。それは、①「複数の方程式を連立させるとき、解が存在するかどうか確かめなさい」という問題であったり（存在定理の証明問題）、②「複数の不等式の制約を満たす変数の組み合わせの中で、目的関数（その値が大きくなることが望ましいと考えられる関数）を最大にするものを見つけなさい」という問題（制約付き最適化問題）だったりします（その逆に目的関数を最小化する場合もあります）。あるいは、③「2つの量を表すxとyが別の量zを決める様子を、xとy各々に、ある係数を掛けて足し合わせたものがzである、という具合に表すときの2つの係数を求め、この式が持つ説明力を求めなさい」という統計学の問題の場合もあるでしょう（「線形回帰分析」と呼ばれる手法です）。

こうした問題は数学の問題ですから、このステージで現実世界のことを考える必要はまったくありません。ただ設定された問題を数学的に解くことのみを目指します。そして、運がよければ問題が解けます。

❹結果の記述

純粋数学の場合とは異なり、計画数学の場合は、「現実世界の問題の所有者に対して、数学の解に基づく説明を行い、説得する」という最後のステージが待っています。もしも解くべき問題が「期待リターンを最大にしてくれるポートフォリオ（分散投資）を求める」というものだったら、投資家に対して、「もしも市況が現在のままだとするならば、あなたの資産を各社の株にこれだけずつ投資し、米国債をこれだけ購入することをおすすめします。なぜこのように判断するかというと……」という説明文を作成するわけです。当然ですが、❶観察と整理のステージと同様に、国語の力が試されるステージです。

以上のように説明すると、これで仕事が終わりであるかのように思われるかもしれません。実はまったくそのようなことはなくて、上記の❶観察と整理→❷定式化→❸数理モデル→❹結果の記述、を一廻りするのが〝仕事の始まり〟なのです。このことを、実際にあった話でお伝えしましょう。

ホウレンソウの逸話

　これは筆者が筑波大学在学中に、指導教員の腰塚武志先生（筑波大学元理事・副学長、名誉教授、１９４４―）からうかがった逸話です。オペレーションズ・リサーチという学問が米国から日本に入ってきて、まだ間もない頃の話です。

　ある大学の研究者が、当時のわが国の経済状況を観察した上で、「必須栄養素の摂取を満足するような最も安価な食事をするための食材の組み合わせを求める」という問題を定義しました（数理モデル分析の流れの段階❶）。当時はまだ日本の所得が低かったのです。ですから、この研究者は一般消費者の切実な悩みに、計画数学を用いて応えようとしたのでした。

　そこで、小売店で買えるさまざまな食材（各種の肉と魚と野菜）の単位重量当たりの価格と、単位重量当たりに含まれる各種栄養素の量、さらには人間が１日当たりに必要とする各栄養素の量を調べました。食材の価格は市場の調査で、栄養に関しては栄養学の文献からわかったはずです。

　そして、計画数学の中の代表選手である「線形計画法」による定式化を行いました（❷）。そして、当時は最先端の問題解法であった「シンプレックス法」のプログラムを大型計算機で実行し、相当な手間をかけてこの問題を解いたのです（❸）。

　そして、結果の記述は……「ホウレンソウがキログラム単位で含まれる食材の組み合わせで1日の食生活を営みなさい」というものだったのだそうです（❹）。

ホウレンソウには必須の栄養素がかなり含まれており、しかもとても安価だったのでしょう。前述の通り、工学とは説得の技術なのですが、さすがにこの解で人々を説得することはできそうもありませんね。ホウレンソウが主たる構成要素である食事……確かに栄養学的には何とか生きながらえることはできるのかもしれませんが。そんな食生活を私たちは我慢することなどできません。いったい何が間違っていたのでしょうか。

上記のモデル分析の営みには「人間は同じものだけを食べて生活できる訳ではない」「食生活には適切なヴァリエーションが必要である」といった、とても大切な条件が抜け落ちていたのです。本来は、この条件が適切に反映された数理最適化問題を定式化しなければならなかったのです。すなわち、現実の❶観察・整理、に不十分な点があったという次第です。さあ、どのように対処すればよいのでしょうか。

とにかく目指すのは「らせん的展開」

モデル分析の最初の一歩で、このように意味のない結果となってしまうのは、実はまったく珍しいことではありません。いやむしろ研究の初期段階においては、本来、解きたかった問題の趣旨からすると、とても意味があると思えない答えに辿り着いてしまうことが多いのです。図7－1の矢印の円周を1回まわっただけだと、間抜けな結果しか得られないことはよくあります。それは筆者も何度も経験していますし、筆者の先輩や同輩の研究者の皆さんも、そして研究室の学生諸君も実に頻繁に経験していることです。いったい、どうすればよいのでしょうか。

ご安心ください。その対処法は、決して複雑なものではありません。反省しつつ、ステージ❶からやり直すのです。

❶観察・整理をやり直し、それにともなって❷定式化をやり直し、また❸数理モデルに基づき解き直し、得られた解に基づく❹結果の記述をし直すのです。すると、ホウレンソウを主たる食材とする解よりも少しまともな提案ができるかもしれません。しかし、それはホウレンソウの解に少し毛の生えたような、やはり自信をもって人を説得できるものではない場合が多いでしょう。ここで諦めてはいけません。もう一度、ステージ❶からやり直しです。今度は定式化において、「マクロモデルではなくミクロモデルにしてみよう」「線形モデルを用いていたのだが、今度は非線形にしてみよう」といった工夫も必要かもしれません。そしてまた結果を記述しては反省し、もう一度ステージ❶から……という具合に進めてゆくのです。

このように、図7－1の❶から❹をグルグルとまわる営みを、（少し古風な表現ですが）「らせん的展開」といいます。

なぜ「らせん」という言葉を使うのかというと、図の右上にあるように、グルグルと回りながら、モデルによる記述力を向上させてゆくことを目的とするからです。

この、らせん的展開を実行するためには、時間と手間と費用がかかります。また、その研究が誰かから依頼されたものである場合には、自ずと締め切りが存在します。そうした外部的な制約が許す限り、そして研究者の興味が続く限りは、記述力の向上を目指すのです。その研究にかけられる時間や費用が尽きてしまったり、締め切りが近づいてしまったら、その時点で、らせん的展開は終了です。そこまでの結果に基づき、❹結果の記述を行います。つまり論文を執筆したり、報告書の原稿を執筆したりすることになります。

以上は数理モデル分析の大まかな流れに関する説明ですが、定性的モデル分析の場合のらせん的展開についても同様です。定量・定性、どちらにしても、論理的思考によって意味のある情報を引き出す営みなので、分析の流れは同型だからです。定性的モデルの場合は、多くの場合、現実観察に基づく帰納的事実や文献学的サーベイによる基本的な命題群を準備し（これが数理モデルの定式化に相当）、これに基づく演繹によって結論を得る、という典型的なパターンが存在します。したがって、ここで述べた数理モデルに関する説明が参考になる場合もあるでしょう。

最後に大切なことを述べます。

ここでは、らせん的展開が固有の研究者によって限られた時間の中でなされるというシナリオを述べました。しかし、実はこの営みは、もっと気の長いものでもあるのです。らせん的展開は個人レベルで行われるだけでなく、ある学問分野について、いくつもの世代にわたって行われるべきものです。多くの場合、学問研究の発展とは、時代を通じた何人もの研究者による、らせん的展開にほかなりません。

第8章　モデル分析を支えるキー概念

この章では、人間や組織に関係する目的合理的な意思決定を行うためのモデルをこしらえるに当たって、これらを押さえておけば上手くいく場合が多いと思われるキー概念を述べます。

第1章で述べたように、モデルをこしらえる営みは一種の「アート」ですから、その有りようは千差万別です。そして、必要とされる個別の知識も多岐にわたるため、それを網羅的に与えるテキストなどつくりようもありません。しかし、それでも人間や組織に関係するモデルをつくるときには、多くのケースに共通するパターンというものが存在します。それは、どのようにしてコストを計り、どのように比較評価するのかということ、そして、間違えずに目的を設定する際の留意点は何かということです。

具体的に取り上げるのは、正味現在価値法、埋没費用、パレート最適、伝統主義、フェティシズム、官僚制の順機能と逆機能、という6つのキー概念です。

この章の内容を理解するためには、もちろん高等数学も必要ありませんし、難しい社会学理論をマスターしておく必要もありません。しかも仕事と日常生活の別を問わず、私たちの意思決定を支えてくれる重宝なものです。

読者の皆さんのご専門はさまざまでしょうし、思考の対象も多岐にわたるものと思われます。ですから、ここで紹介した内容だけで十分とはいえません。皆さん自身の思考をサポートしてくれるキー概念は何か、ということに目を光らせ、それを正しく理解して使えるようになること。このことが非常に重要であると申し上げます。

1 正味現在価値法 ——時間の流れの中でプロジェクトの価値を見極める——

橋を架けるプロジェクトの「お金の出入り」例

組織や社会に関する意思決定の多くは、単年度あるいは短期で決着するものでなく、中・長期にわたって実現してゆくプロジェクトである場合がほとんどです。この場合のプロジェクトの価値を見積もることは、何にも増して重要なモデル分析と言えます。それを支えてくれる基本的な手法が「正味現在価値法」です。これは時間の流れの中でお金の価値を判断するための手法であり、組織や社会の問題のみならず、個人のお金に関係する意思決定においても、不可欠の考え方と言ってよいでしょう。

このように、**正味現在価値法は、プロジェクトに関係するお金の出入りが将来にわたって予定されているときに、プロジェクトが全体でどれだけの価値を持つかを算定します。**このプロジェクトは大規模な公共工事でもよいし、ある家庭で太陽光発電システムを購入し、将来にかけて運用するという私的なものでもかまいません。

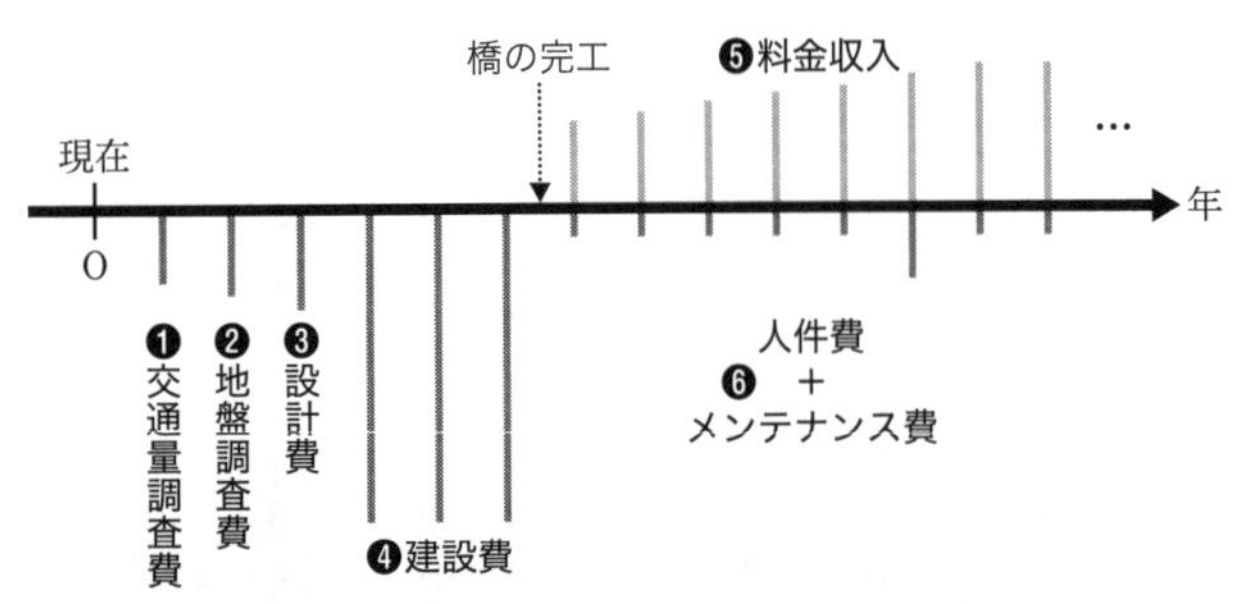

図8-1　橋を架けるプロジェクトに関わる時間軸上でのお金の流れ

こうしたプロジェクトに共通しているのは、何年かにわたって、お金の出入り（支出と収入）が予見できるということです。その様子を図8－1に例示します。横軸が時間の流れを、上向きの棒グラフがその時点での収入を、下向きの棒グラフがその時点での支出を意味します。

この図は、橋を架けて料金を取って運用するという公共プロジェクトを例にしています。最初の方の下の棒（支出）は、❶予見される交通量の調査費、❷建設現場の地盤調査費、❸設計費、といったものに対応します。工事が始まると、何回かに分けて❹建設費が下向きに計上されます。橋が完成すると、通過する自動車からの❺料金収入が見込まれます（上の棒）。加えて、橋運用のための❻人件費や定期的なメンテナンス費が予見されています（下の棒）。この時間軸は、橋が役割を終えるまでの長さ（橋の耐用年数）をもっています。さあ、このプロジェクト全体の価値をどのように評価すべきでしょうか。

まず思いつくのは［収入の総額］（上向き棒グラフの単純和）から［支出の総額］（下向き棒グラフの単純和）を引いて価値を計算する、という方法です。プロジェクトがあっというまに終了するのならば（たとえば2～3年で終わるならば）それでもよいのですが、橋の場合は、調査開始から橋が役目を終えるまで50年以上を要するのが常です。ですから、この単純計算では的外れになる恐れが大なのです。

将来のお金を現在の価値に換算する

単純な和と差の計算が的外れになる理由は、同じ額のお金でも、どの時点に存在するかによって、現在を生きる私たちにとっての価値が異なるからです。読者の皆さん、１００万円という定額のお金を思い浮かべてください。これを今すぐにもらうか、１年後にもらうか、選べるとしたらどうしますか？　もちろん、今すぐにもらいたいですね。その理由は、現在の１００万円を適切に運用すれば、１年後には増やすことができるからです。

銀行の１年定期預金の金利が０・２％だとすると、１００万円は１年後には１・００２倍の１００万２千円になります。２年後には１・００２×１・００２倍の１００万４千円になります。10年経つと、１００万円に１・００２を10回掛けて、１０２万円ほどになります。この利子率を前提とするかぎり、現在の１００万円は10年後の１０２万円と同じ価値をもっていることがわかります。

逆に、1年後の100万円が現在の何円に相当するのかを計算してみましょう。先ほどは現在の価値に1・002を掛けて1年後の価値を計算しましたね。その逆のことをすればよいのです。つまり、1年後の100万円を1・002で割ります。すると99万8千円を得ます。この利子率を前提とする場合は、1年後に100万円もらうのと、いま直ちに99万8千円をもらうのが同じ価値なのです。もしも10年後の100万円の現在価値を知りたければ、100万円を1・002で10回割ってやればよく、98万円となります。現在の98万円が10年後の100万円と同じ価値をもっているのです。将来のお金を現在の価値に換算するためには、［将来の額］を、［1に利子率を足した値］によって、現在から離れている年の回数だけ割ればよいのです。この操作は「割引き」と呼ばれるものです。

以上の説明をヒントにして既におわかりだと思いますが、図8-1の上向き（収入額）と下向き（支出額）を別個にして、棒の長さ［金額］を［1に利子率を足した値］で現在［0］から離れている年に応じた回数だけ割って現在の価値を求め（つまり割引きを施して）、それを足し上げればよいのです。上の棒に関してこれを求めたものが収入の現在価値、下の棒に関してこれを求めたものが支出の現在価値です。前者から後者を引けば、プロジェクト全体の正味現在価値（英：net present value）を得ることになります。

もしも直接的な利益のみを追求するプロジェクトであれば、プロジェクト全体の正味現在価値が正値であることが必要とされます。企業が行う利益追求型のプロジェクトがこれに相当します。当たり前ですよね。大局的に見て損をしてしまうことが予見されるプロジェクトを、企業が実施するはずがありません。

また、異なるプロジェクトが複数存在したり、1つのプロジェクト（上の例で言えばある個所に橋を架けること）に工法の候補が複数あって、それぞれで年ごとのコストや将来のメンテナンス費が異なる場合は、プロジェクトごとに、あるいは工法候補ごとに正味現在価値を計算し、最も有利なプロジェクトあるいは工法を選択すればよいのです。

この計算は、手許に電卓があれば、すぐに行うことができます（表計算ソフトのエクセルがあれば、なおさらに手軽です）。ずいぶん前のことですが、筆者は電力会社から「太陽光発電システムを自宅用に購入しませんか？　公的補助金も取得できるし電力の余剰分を売ることもできますよ」と勧められました。もちろん筆者は図8－1と同等の準備を行いました。その場合、払わなくてすむようになる電気代に売電額を加えたものが毎年の収入として計上されます。支出はシステム導入時の支払額から公的補助金を引いたものです。利子率は3％程度に置いた記憶があります。その際、耐用年数が12年を超えれば、「わが家の太陽光発電システム導入プロジェクト」にゴーサインが出ることが判明しました（結果的に筆者は12年間故障なく使えるかどうかを疑わしく思い、加えて最終的な撤去費用のことを勘案して、このプロジェクトを中止にしました）。

このように身近な例にも使えるモデル分析が、正味現在価値法です。都市施設の導入・運用計画を研究したり、人口減少地域の施設の統廃合計画を立案するためにも必須のモデルであり、金融工学の分野でも、投資の効率を予測する際に用いられる定番のモデルです。

正味現在価値法においては、利子率をどのように設定するかが分析のキーポイントです。これが問題の所有者の投資能力や、市中の利子率に依存することは言うまでもありません。

2 埋没費用――モデルから何よりも先に捨て去るべきもの――

“もったいないバイアス”に注意

「埋没費用」はプロジェクトを進めてゆく過程において、プロジェクトそのものの価値の変容に対応して意思決定を行うための概念です。過去に支払ったお金や労力や時間などからは独立して、今後の目的合理的な計画を立てる。そうしたモデル分析を行うことの重要性を理解してくだされば幸いです。

埋没費用を『広辞苑』で引くと、「サンクコストに同じ」と出ています。「サンクコスト」

（英：sunk cost）を引くと、「事業に投下した資金のうち、事業の撤退または縮小によって回収できない費用」という意味と「ある問題について複数の解決策が提案されたとして、どの解決策を採用しても金額が変化しない原価。無関連原価。埋没原価。埋没費用」という意味が述べられています。

いずれにしても、**埋没費用とは目的合理的な意思決定を行うに際して、それを考慮しても意味のない費用のことで、間違ってモデルに組み込んではならない存在を意味します。**

前段で登場した橋の建設を例にとりましょう。ある工法で設計することにして、すでに2億円の準備費用を支払い済みだとします。しかし、新たに別の工法が存在することがわかり、そちらの方が建設コストとメンテナンスコストの面で有利であることが判明しました。このとき、「すでに2億円もかけたのだから」とか「2億円がもったいないから」という思いにとらわれて、もとの工法で橋を建設すると決定してはならないのです。なぜかというと、この2億円は埋没費用だからです。だからといって、建設コストとメンテナンスコストが低廉であるという理由だけで、別の工法に乗り換えるのも合理的ではありません。

旧工法を念頭に置いて支払った準備費2億円は、これからどのような意思決定を行おうとも回収できません。「これから建設し運営する橋の正味現在価値を最も大きくする」という目的を果たす上で、考えても意味のないコストなのです。さて、どのように対応すればよいのでしょうか。

次の2つのことをすればよいのです。

①すでに支払い済みの2億円を考慮に入れずに、旧工法を用いるときの支出と収入の見積もりに基づいて正味現在価値を計算する
②新工法を用いて建設・運用するときの、調査費や設計費を含むすべての支出と収入の見積もりに基づいて正味現在価値を計算する

この両者を比べて、正味現在価値が大きい方を選択すべきなのです。

私たちは過去の努力や費用負担からのバイアスを受けやすく（いわば〝もったいないバイアス〟）、そのことが意思決定を目的合理的でないものにしてしまう恐れを、常に持っています。モデル分析を行うときに、埋没費用をモデルに反映させないように注意せねばなりません。

序章で「モデル思考は捨てる技術」と説明しました。埋没費用を思考の枠組みから捨てることは、捨てる技術の第一歩です。

自宅における埋没費用とは

なお、このことは、プロジェクトそのものが意義を失ってしまったときにも言えることです。たとえばある公共事業で、大変なコストをかけて干拓を行い、農地をつくり出そうと努力してきたものとしましょう。ところが農業生産の効率が上がり、そのような農地は既に必要なくなってしまったとします。このとき、過去にどれほど多くのお金がつぎ込まれていたとしても、この干拓事業は即座に中止しなければなりません。**過去にどれほどのお金を使ったとしても、意味がなくなったプロジェクトは直ちに中止する。**つまり、もうそのプロジェクトに関するモデル分析を行うことに意味がない。この正しい判断を支えてくれるのが、埋没費用という概念なのです。

最後に、埋没費用のアイデアは日常生活においても機能します。それなりのお金を支払って手に入れた服なのに、まったく着ることがない。時間と手間とお金をかけて手に入れた調理器具のセットだが、ここ数年間は使っていない。これらの物品が自宅の場所をふさぎがちなのは、筆者だけではないと思うのです。支払い済みのお金、入手のためにかけた時間と手間……これらは取り戻すことができません。そうです。埋没費用なのです。ですから、自宅を快適にして日常生活を豊かなものにしよう、と目的合理的に考えるのであれば、もったいないという理由だけで、それらのものを所有し続けることは賢明ではありません。直ちに処分することを考えるべきです（意味を失ったプロジェクトを放棄するのと同様です）。

埋没費用と前項の正味現在価値法の2つは、「経済性工学」の重要な概念です。私たちの多くの意思決定は、お金を用いて何かをすることに関わっています。企業の経営の場合は、お金を使ってお金を増やすことに関わります。そしてその行いは多年にわたることがほとんどです。こうした場合に必要とされる意思決定を支える基盤が経済性工学です。

3 パレート最適 ――多目的な最適化を支える論理――

複数の候補から優れたものを選ぶ

「パレート最適」は、複数の評価軸のもとでの分析（英：multi-criteria analysis）を支えてくれる重要なツールです。

おおよそ現実世界に存在する課題を取り上げるとき、それが単一の尺度で評価できることはほとんどないかもしれません。たとえばノートパソコンをいくつかの候補の中から選ぶに際しては、評価軸が①価格、②重さ、③CPUの性能、④メモリの大きさ、⑤バッテリー駆動時間、といった具合に複数存在します。この際に、候補機種から優れたものを選ぶためには技術が必要となります。そのための定番の技術として重宝するのが、オペレーションズ・リサーチの多目的計画法の分野で用いられるパレート最適の考え方なのです。

私たちが何らかの計画を目的合理的に立てるとき、それに相応しい指標を設け、その数値が少しでも大きく（あるいは少しでも小さく）なるように立案するのが常道です。このようにして最適化すべき指標は、多くの場合、単一ではありません。たとえば、企業が将来計画を立てるに当たっては、もちろん利益の最大化が大切です。しかし、企業の長期的な存続という観点からは、シェア（市場占有率）の最大化にも意味があるでしょう。このような複数の指標を勘案しつつ、将来にかけての計画を最適化するモデルの枠組みのことを、オペレーションズ・リサーチでは「多目的計画」と呼びます。

多目的計画の数学的な取り扱いはさておくとして、本節ではこうした問題の計画案を評価する上で有用な概念であるパレート最適について解説します。この概念は、文系と理系を問わず、目的合理的な思考を営む者にとって、極めて価値の高い内容をもっています。以下に数値例を用いて説明します。

ある企業が将来を見越して立てた6つの事業計画案A、B、C、D、E、Fをもっています。これらの代替案のうち、いずれか一つを実行に移す予定です。各案を実行したときの利益とシェアの見積もりをペアにしたものを、図8－2に示します。

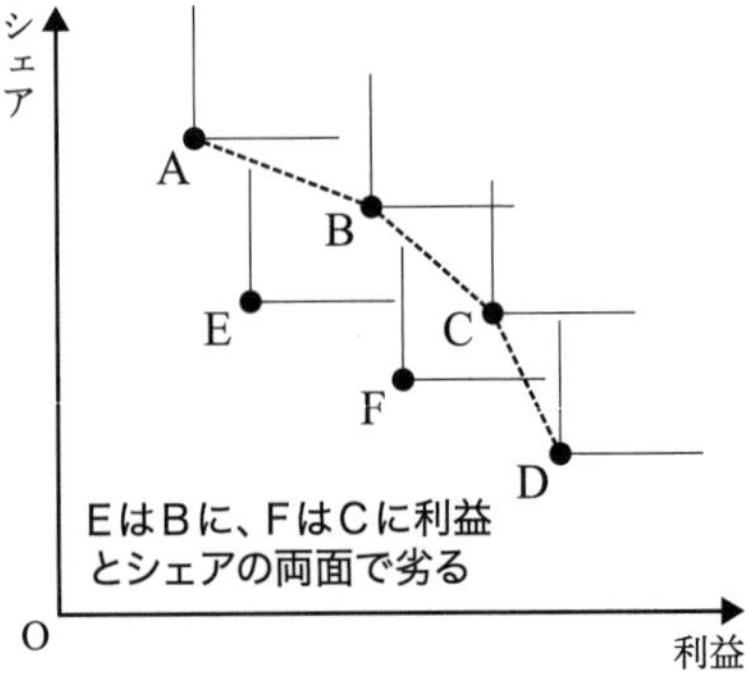

ここで、図の各点（Ａ〜Ｆの代替案に対応）から水平方向の右向きと、垂直方向の上向きに線を引き、点の右上の範囲を観察することにします。すると、点Ａ、Ｂ、Ｃ、Ｄの右上の範囲には他の点が存在しないことがわかります。つまり、計画案Ａ、Ｂ、Ｃ、Ｄの各々よりも、利益とシェアの双方で優れた計画は存在しないのです。ところが、点Ｅの右上には点Ｂが、点Ｆの右上には点Ｃが存在します。つまり、計画案Ｅは計画案Ｂに比して、そして計画案Ｆは計画案Ｃに比して、利益とシェアの双方で劣った案なのです。このことから、計画案ＥとＦは、まったく存在価値をもたないことが理解できます。

次に、計画案Ａ、Ｂ、Ｃ、Ｄを互いに比較してみましょう。前述の通り、いずれの案も自分よりも利益とシェアの双方で優れた案をもたないことがわかっています。これは、どのような計画案のペアを取り出しても、双方が利益とシェアのどちらかで優れていることを意味します。たとえば、計画案ＢとＣを比べると、Ｂは利益では劣るもののシェアにお

シェア
EはBに、FはCに利益とシェアの両面で劣る
O
利益

図8-2　6つの事業計画案で見込まれる（利益、シェア）ペアの見積もりとパレート最適の考え方

いて優れており、Cはシェアでは劣るものの利益において優れています。つまり双方の甲乙をつけることができないのです。このとき、「A、B、C、Dの各々は、パレート最適である」と表現します。そしてパレート最適性を満たす計画案の集合｛A、B、C、D｝は「パレート最適集合」と呼ばれます。わかりやすくいうと、**目的合理的に優れた案を見つけ出そうとするときに、甲乙つけがたいものを選び出したものがパレート最適集合です。**

このパレート分析（パレート最適集合を見つけ出す分析）のモデルによって、切り捨てるべき案（上記のEとF）が直ちにわかり、どれにするかを真剣に考えるべき集合（上記の｛A、B、C、D｝）が特定できることが大切です。

スマートフォン買い替え候補の「パレート最適」

イタリアの経済学者で社会学者のヴィルフレド・パレート（1848―1923）は、財の配分に関する研究を行いました。そして、財の配分がなされるに際して、「誰にも不利益（効用の低下）をもたらすことなく、ある特定の個人の利益を高める（効用を増加させる）ような財の再配分がもはや不可能な状態」を指してパレート最適と定義しました。このアイデアは、経済学の枠を超えて、前述したような最適化問題（多くの代替案の中から優れたものを見つけ出す営み）において役に立っているのです。

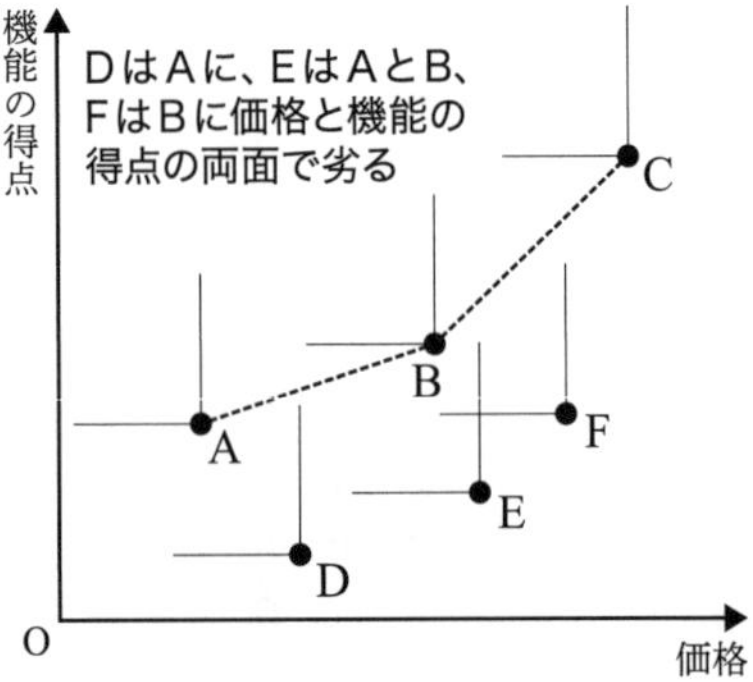

パレート分析が、私たちの日常生活における意思決定にも寄与できる例として、購入すべきスマートフォンの例を述べておきましょう。

古くなったスマートフォンの買い替え候補として、A、B、C、D、E、Fの6機種があるものとします。これらのうち、いずれか一つを購入したいのですが、上手く候補を絞り込むことができるでしょうか。

この問題を考えるために、各スマホの価格と、機能を数値化した値が手に入っているものとします。そして、横軸に価格を、縦軸に機能の得点をとった直交座標にプロットしたのが図8－3です。価格は安い方が、機能の得点は高い方が良いことは言うまでもありません。

図8-3　6つのスマートフォン購入候補の（価格、機能の得点）ペアとパレート最適の考え方

そこで、図の各点（スマホ候補）から水平方向左向きと、垂直方向上向きに線を引き、今度は点の左上の範囲を観察することにします。もちろんそのスマホ候補よりも、価格と機能の得点双方で優れたスマホを特定するためです。すると、まずスマホ候補A、B、Cの左上の範囲には他の候補が存在しないことがわかります。これら3機種は互いに甲乙つけがたい魅力をもっているのです。一方、機種Dの左上にはAが、機種Eの左上にはAとBが、機種Fの左上にはBが存在します。機種D、E、Fは明らかに劣った機種として、候補から外すべきであることがわかりました。

このようにスマートフォン候補のパレート集合｛A、B、C｝が導けたので、この3機種で絞り込めばよいのです。そのために、これらの候補の魅力を差別化するための追加情報を探せばよいことがわかります。

なお、前述では｛利益、シェア｝ならびに｛価格、機能の得点｝といった2つの尺度ペアを前提とするパレート分析を説明しましたが、尺度が3つ以上の場合（たとえば利益、シェア、顧客満足度、従業員満足度）も、操作は面倒になりますが、分析可能です。あらゆる尺度で他のどれかに劣る計画を見つけ出し、自信をもって切り捨てるのです。そして、他の計画に比べて劣っている尺度の数が少ないものを、見どころのある計画と位置付ける、というのが一つの方法です。他に、それぞれの尺度の重要度を（何らかの合理的な方法によって）点数化する方法もあります。

重ねて申し上げますが、おおよそ物事の善きありかたを考えるとき、それが単一の尺度で評価できることは、あまりありません。どうしても複数の尺度を考慮したくなるのは、企業の事業計画だけではありません。そうした、遍在する複数の評価軸の下での代替案を絞り込む作業において、本節で述べたパレート分析というモデル手法は重要な定番ツールと言えるでしょう。

4 伝統主義——思考に無用のたがをはめるもの——

過去の呪縛に縛られない

前出の3つは、これから行おうとするプロジェクトの価値を高めるためのモデルをこしらえるに当たって必要な技術でした。次に述べるのは、目的合理的に考えるときに、何を前提条件とするかというモデルをつくる枠組みを間違えることなく設けるために重要な概念です。

伝統主義というのは社会学の用語であり、『社会学小辞典』には「伝統を最も重要な価値基準としてなされる思考様式・行動様式。変化や変動を好まず、既成の秩序の維持を志向することが多い」と説明されています。この定義を知らないで伝統主義と聞くと、何やら伝統を重んじる善き態度、などと思ってしまいがちですが、決してそうではありません。伝統主義は、相当にマイナスイメージの言葉です。一言でいうと、**「昨日までそうしていた**

のだから、今日も明日もそうしよう」と無批判的に（単細胞的に）考え、行動するのが伝統主義です。

ただし、これまでのやり方を維持しようという態度は、社会や組織や個人の安定を維持するために必要なものです。上手くいっているシステムにむやみに手を入れると、かえってパフォーマンスを悪化させてしまうこともあります。だから、何が何でも伝統を否定するぞ、と狼煙（のろし）をあげるべきではありません。

筆者が提案したいのは、伝統主義という概念を拠（よ）り所にして、「目的合理的に考えるにあたっては、伝統（これまでのあり方）に変化をもたらすこともできるという強い思いをもってモデルをつくろう」ということです。

これに関しては次のような逸話があります。ある鉄道会社の運賃システムのプログラム開発者が、オペレーションズ・リサーチの大家（たいか）にアドバイスを求めました。それは、「切符の自動販売機のシステムを構築するに当たって、プログラム開発がどうしても上手くいきません。何とかならないでしょうか？」というものでした。表示される運賃に矛盾が生じてしまう、というのです。

開発者は、会社がもつ運賃算定のルールを忠実にプログラムに反映させようとしていたのです。そのようにしてプログラムを組んでテストすると、どうしても矛盾が生じてしまいます。2つの駅の行きと帰りで運賃が異なってしまう、といったことが部分的に起きてしまったのでしょう（実際に筆者は、ある私鉄で、それを体験したことがあります）。尋ねられた先生の回答は、「それは簡単なこと。料金算出のルールそのものを、矛盾が生じないようにつくり替えればよいでしょう」というものでした。

これはプログラム開発者にとっては、まさに目から鱗が落ちる感だったことでしょう。多年にわたって用いられてきた運賃の算出ルールは、会社の関係者にとって、いわば自然環境と同じで、それに不備があるから変更しようなどとは夢にも思わない対象だったのです。しかし、落ち着いて考えてみると、ルールはあくまでも人間が作ったものです。必要に応じて改善を加えることができるのは言うまでもありません。この言うまでもないことに気づかないのが伝統主義の恐ろしいところです。

モデル分析を行うに当たっては、前提となる事柄（すなわち伝統）に極力、目を配ることにしましょう。そして、無理のない範囲内で、できるかぎり前提条件を削ってゆくのです。前提条件が少なければ少ないほど、パフォーマンスに優れた解答を手にできる可能性が増すのです。

過去の呪縛に知らず知らずのうちに縛られてしまうのが人間です。伝統主義という概念を理解し、その呪縛を断ち切って意味のあるモデル思考を目指しましょう。

5 フェティシズム ――目的を見誤らせる心の作用――

〝手段〟が〝目的〟に転じた倒錯

本節の内容も、前節の伝統主義と同様に、モデルそのものに価値があるかどうかを見極めるために寄与するものです。

「フェティシズム」は、倒錯（手段と目的の「転倒」）という、伝統主義とは異なる仕組みによって、私たちの思考を縛るものです。ここでは転倒という表現を、価値を取り違えることとの意味で用いています。つまり**フェティシズムとは、本来は手段であったものを、あたかも目的であると思い込むこと**に他なりません。そうした取り違えの下でさまざまな計画が立てられがちなのです。この営みは緻密であり賢明であるほど、痛ましい結果をもたらす恐れを持っています。私たちが目的合理的に考えるとき、フェティシズムの呪縛から逃れることも大切なテーマです。

フェティシズムとは、元来は呪物崇拝・偶像崇拝を意味する宗教学の用語であり、アニミズム（自然界の万物がもつ〝アニマ＝霊魂〟への崇拝）と区別して、〝持ち運べる手ごろな物体〟への崇拝を意味します。その語源は呪具を意味するポルトガル語のフェティッシュ（fetiche）

に由来します。

オーストリアの神経学者ジグムント・フロイト（1856―1939）は、成人が人の身につける物品に執着する様（性的倒錯）をフェティシズムと呼びました。幼児が発達期に母親の着物や体臭に執着する傾向は幼児フェティシズムと呼ばれます。さらに、哲学者で経済学者のカール・マルクスは、人間が作ったものに過ぎない商品・貨幣・資本を、まるで固有の力をもつものとして扱い、人がこれらを信仰・崇拝の対象とする事態をフェティシズムと位置づけました。これは物神崇拝と訳されます。

このように、宗教社会学・心理学・経済学にわたり、広い意味と適用対象をもつフェティシズムですが、この概念に一つの本質が貫かれていることにお気づきでしょうか。いままでに述べた各例について説明します。

まず呪物や偶像は神（神性をもつもの）の身代わりの便法だったはずです。その手段に過ぎない、ただの物が、信仰の目的たる神にとって代わったのが物神崇拝です。もちろん信仰者は、この転倒に気づいていません。

また、私たちのちょっとふざけた会話で「彼はハイヒールフェチだ」というときには、その人がハイヒールに性的魅力を感じていることを意味しますね。女性に魅力を感じ、触れ合いたいと思えば、ハイヒールを脱いでもらわねばなりません。つまり本来は、ハイヒール（を脱いでもらうこと）は女性と（性的に）触れ合うための〝手段〟です。しかし、この手段であるハイヒールそのものが〝目的〟に転じてしまった倒錯の状態を、性的な意味でのフェティシズムと呼ぶわけです。幼児フェティシズムも、母そのものでなく、着物や体臭という死物に、目的たる母性を感じている、という転倒の状態です。マルクスの物神崇拝も同様であり、人生の目的を果たすための手段に過ぎない経済上の人工物を崇めて目的としてしまう転倒状態です。

このように、フェティシズムとは「手段と目的の転倒」を意味しているのです。これがフェティシズムの本質にほかなりません。困ったことに、この転倒は個人だけでなく、社会や文化、組織などの中で広く見られる現象であり、しばしば人々の価値観や行動に影響を与えます。たとえば、組織における身分や役割への執着、国家や民族の優越性を主張するナショナリズム、消費社会におけるブランドやモノへの崇拝などがフェティシズムの例として挙げられます。

フェティシズムと先に述べた伝統主義の共通点は、事物や概念への執着です。伝統主義者は、過去の文化や習慣、宗教などに執着し、現代の価値観や文化に反発する傾向があります。一方、フェティシズムは、ある物事や現象に特別な力や意味を見出し、それに異常なまでに執着する態度を意味しています。両者とも、現代社会の中で見られる合理的な思考や行動とは対照的な、非合理的な精神作用と位置づけられます。そして、伝統主義とフェティシズムは、根本的な信念や対象において異なる点もあります。伝統主義は、社会的な価値観や文化についての信念に焦点を当てる一方、フェティシズムは、物や現象に対する信念に焦点を当てる傾向があります。

さて、本書の中心テーマである「モデル分析」において設定された目的が、フェティシズム由来の「転倒した目的」だったらどうしましょう。そんな転倒した目的からスタートしたのでは、いくら合理的に思考しても、得られる結果は本来の目的をかなえるものになり得ないものと推察できます。その結果に基づいて物事を実行すると、かえって悪い結果をもたらしてしまうかもしれません。ですから、モデル分析の目的が、フェティシズムによって影響を与えられないように注意を払うことが大切です。

教育・研究の現場でのフェティシズム

転倒した目的に基づくモデル分析によって進められるプロジェクトは、世に数多あるものと思われます。既に目的が失われた公共事業（干拓事業・道路建設・ダム建設など）が進められる例、既に市場での価値を失った製品をつくり続ける企業、といった実社会での例は、読者の皆さんもすぐに思い浮かべることができることでしょう。

現代における、フェティシズムのもう一つの典型は、さまざまな組織に見られる数値目標による成果主義です。

たとえば中高の受験校は、偏差値の高い大学への合格者数を評価のバロメーターとしているようです。しかし本来の教育の目的は大学合格者数ではなかったはずです。良い教育が目指すものは、一言で言える単純なものではありません。学ぶ喜びと態度、社会に貢献する精神、友情を育む術、自分の能力を認識する技術という具合に、多目的な内容を持っているはずです。学力はもちろん重要ですが、それらのうちの一つに過ぎません。良い教育を成し遂げるための一つの手段に過ぎない学力（大学受験の問題を解く技術）をつけさせることが一義とされ、それを達成するためのモデル分析によって中高の入試が行われ、カリキュラムが組まれるのです。本来なら、中学教育・高校教育の社会的使命を認識し、多面的な人間形成に寄与できるようにモデル分析をするべきでしょう。

大学においても、数に基づく業績評価が行われます。研究者の学問上の業績を計る尺度として、査読付きの論文数が重要な役割を果たすのは当然のことです。しかし、それを一義的なものととらえる風潮には疑問を感じざるを得ません。論文数による評価を、あまりにも強調してしまうと、思わぬ弊害が生じてしまうのです。

若手研究者は、すぐに論文が書けそうなテーマを取り上げて数を稼ごうとしたり（本当は大切な学問の基礎と自らの価値観を育てるべき大切な時期なのに)、成果主義に適合する偏差値秀才ばかりの教員集団が形成されたり(まるで隋代の科挙のシステムです)、研究の場で夢が語られず、組織で生き延びる術が語られるようになります(若者にとって研究活動が手続きにしか見えなくなるかもしれません)。現在進行形で、こうしたことが起きつつあります。驚くべきことに、若い世代の教員に、こうした成果主義を是とする人たちが多いのです。いままで自分たちが成果主義の下で育ってきたから、その異常さに気づかないものと思われます。

モデル思考によって目的を達成したいときは、まずは目的とそれを実現するための手段を網羅的に整理して認識しましょう。そのとき目的がすでに陳腐化した意味のないものになっていないかどうか(たとえば、コメが余っている状況で、干拓によって田地をつくるような)を確認すべきです。さらに、手段であるべきものが数値目標として設定されていないかどうかをチェックするとよいでしょう。

6 官僚制の順機能と逆機能 ——あらゆる組織に忍び寄る官僚制のわな——

最高の官僚は最悪の政治家

「官僚制の順機能と逆機能」は、あちこちで議論されている組織改革を、過ちをおかさずに進めてゆくために、ぜひとも知っておくべき社会学の概念です。一生懸命に考えて改革案を作っても、それが必ずしも上手くいかないどころか、かえって事態を悪化させることがありますね。その説明原理を知っておくことは、むやみに改革に突き進み不幸になることを防いでくれますし、現在起きつつある組織の問題を理解するためにも役立ってくれるでしょう。

この項では、官僚制の下での順機能と逆機能という概念を紹介し、これらが組織の将来計画や改革を構想し実現するためのモデル分析に強く関係していることを説明します。

官僚制（英：bureaucracy）とは「複雑で大規模な組織の目標を能率的に達成するための、合理的な管理・運営の体系」のことです。その特徴として、①**規則の支配**、②**権限のヒエラルヒー**、③**人間関係の非人格性**、④**職務の専門性**、を有することが知られています。これら4つの特徴は、物事を規則通りに、とにかく効率的に進めてゆくことに寄与する（ある意味で）素晴らしいものです。

たとえば、ある生活困窮者が公的補助金を受け取るための役所への書類提出の締め切りを5分超過したとしましょう。理由は、役所にやってくる途上で交通事故にあったせいかもしれません。このとき、優れた官僚であれば、「あまりにも可哀想だから、特別に自分の判断で、締め切りに間に合ったことにしてあげよう」と考えて受理することなど決してありません。自らの権限を超えてはならないし、仕事に人間関係を持ち込んではいけないし、規則を破ることなどもってのほかなのです。

では、この例のような弱い立場の人を助けるのは誰の仕事でしょうか。それを受け持つ代表選手は政治家です。政治的な判断により、特別な事情で申請が遅れた場合には、一定条件の下で書類を受理する、という規則を設ければよいのです。そうすれば、官僚は改定された規則を忠実に守るという美徳を発揮することになります。ここから、官僚と政治家が、実に対蹠的（正反対）な存在であることが理解できます。最高の官僚は最悪の政治家です。政治家の代わりに教育者という言葉を入れてもよいでしょう。

官僚制が社会や組織の善き活動や成長のために役立つことを順機能（英：eufunction）といいます。ところが、官僚制は社会や組織の維持・存続を脅かす作用を果たすこともあり、こちらの作用は逆機能（英：dysfunction）と呼ばれます。

官僚が無私の心で働き、また高度な情報処理能力と判断力をもっている場合には、そして社会が置かれた環境が安定的なものであれば、順機能が発揮される可能性が大きいのです。しかし、官僚が自らの利益を念頭においたり、緻密な思考力に欠けていたり、外部の環境が安定的でない場合には（つまり決まり通りに物事を進めてもどうなるかが予見できない、戦時下のような場合）、逆機能が発現してしまう恐れがあります。

「ポスドク問題」を生み出した逆機能の例

逆機能の例に、1990年代に文部科学省が主導した「大学院重点化」に伴う博士課程進学者量産化があります。この営みによって、1985年度に21541人だった博士課程在学者が2005年には74909人になりました。その間、博士号取得者の民間企業による受け入れは進んでおらず、大学における正規の教員枠も増えていません。こうなると定職につけない若き博士号取得者が激増することになり、これは「ポスドク問題」と呼ばれ、学術界では大変に深刻な問題と受け止められました。

このような事態を招いた大学院重点化は、「日本の科学技術立国としての将来を支えるために、学者の数を増やすべし」というアイデアからスタートしたものです。仮説として、［学者の数が増える］→［学術のレベルが高まる］→［科学技術立国安泰］という三段論法的な議論がなされたことでしょう。

ここには官僚制のもう一つの重大な特徴である「計算可能性」が作用しています。これは、官僚が仕事を進めるに当たって、その効果を数字で予測したうえで進める、という合理的なアイデアです。計画は計算可能性を持たねばならない、という前提条件のもとで仕事を進めるという方法論そのものに欠点はありません。

しかし、計算可能性をもってモデル分析を行えば、必ず過ちをおかさずに物事を進めることができるか、といえば、決してそんなことはありません。そこで行われた計算のモデルは、「大学院の予算を増やすことにより、博士課程の定員を大学別にこれだけずつ増やすことができる。その積算をすると、これだけの投資で博士課程の定員をこの目標数値にもってゆくことができる」といったものだったでしょう。明確なモデル分析ですが、博士号を取得した若者たちが、その後にたどる人生の有りようは、残念ながら十分に考慮されていなかったのです。

それまでは、よほどに学問が好きであるか、高度な知性と研究能力を有していて周りの教員たちが「君はぜひとも博士課程に進学すべきだ」と説得したくなるような学生が博士課程に進学していたはずです。ところがこのプロジェクトの下では、「定員が増えて進学しやすくなりましたよ。学費の補助も充実していますよ」という言葉に誘われて、軽い気持ちで博士課程に進学してしまう人も増えたのではないでしょうか。そこには博士号取得者の質の低下という問題も付随しました。

文部科学省が、そして当時の政府が本来目指したのは、科学技術立国安泰に向けた順機能です。しかし、ふたを開けてみると逆機能が発揮されてしまった、という次第です。結局、文部科学省は2009年には86の国立大学に向けて、博士課程の定員を見直すように

（削減するように）通知を出すことになりました。

この官僚制の下での逆機能の問題は、背景に単純なモデル分析を有しているわけですが、序章で、「捨て過ぎたモデルは機能しない」と述べた通り、現実を過度に単純化したモデル分析は間違った結果をもたらしてしまうのです。単純化のプロセスにおいて捨て去られた部品は、①博士号取得者の就職先の確保、②博士号取得者の質、③博士号取得者の心の問題、というものでした。

筆者は、特にこの心の問題をモデルの外に捨て去っていることを重視します。確かに心の問題を捨て去れば、明解な定量的モデルで分析できてしまって便利なのですが、それは許されないことだと考えるからです。

つまり、定量的なモデルを過信してはいけません。この過信と、官僚の計算可能性を求めるという特性は不可分だと思います。国家の運営に当たる官僚システムが、本来的に社会の維持発展のためにマイナスの影響をもたらしかねない装置であること、それがわが国における官僚制の宿命となっていること、私たちはそれに気づくべきです。

巨大化する組織に不可避の官僚化

ところで読者の皆さんは、こうした事態を官僚がコミットする問題に特有のものだと思いますか？　実は、官僚化（英：bureaucratization）の波は民間の組織や教育機関にも着実に押し寄せるのです。なぜならば、これらの（官僚機関以外の）組織も巨大化複雑化という現実の下で、官僚制の本質である①規則の支配、②権限のヒエラルヒー、③人間関係の非人格性、④職務の専門性、を必然的に（そして驚くべきことには喜んで）取り入れることになるからです。この官僚化した組織にあって、知らず知らずのうちに、その構成メンバーは「とにかく規則が大切」「心の問題を考えるのは合理的でない」「計算可能性を一義として目的合理的に考えよう」というエートス（行動様式）に染まってゆくのです。

そうなると、前述の、交通事故にあったために申請書類の提出が5分遅れた人を切り捨てる、というのと同様の営みが、民間組織や教育機関のそこここでみられることになり、逆機能のオンパレードになってしまいます。教育や研究の場が「決まり通りにやればよい」というルールに支配されてしまったら、存在価値を速やかに失ってしまうでしょう。

これについては、評論家の中野剛志（なかのたけし）（1971—）が著書『奇跡の社会科学』において、組織改革の一環として行われる「人事評価の数値化」が、かえって非効率性を生み出す結果となるケースに言及しています。中野はさらに、昨今の大学における研究者の業績の数値化にも警鐘を鳴らしています。そして、本当に大切なのは業績の数値による評価ではなく、「経験豊かな研究者たちに論文や書籍を読ませ、その意見を参考にすること」である、と指摘しています。これには、耳を傾けるべきものがあります。政治家が官僚的であってはならないのと同様に、教育者と研究者は決して官僚制に染まってはならないからです。

定量的モデルに基づき、物事の善し悪しを測る。このことはとても大切なことであり、これを否定すべきではありません。しかし、このモデルに反映しきれない定性的な要件が存在するかもしれない、という想像力をもつことがとても重要なのです。

第9章　誰のために考えるのか

――問題の所有者という要件――

この章では、〝問題の所有者〟という、モデル分析のために致命的に重要な概念について説明します。これに類することはさまざまな学問分野ならびに、社会の中のいくつもの現場で認識されていると思われますが、とても重要なことですから、本章で述べておきましょう。一言でいうと、「同じ現実を見ていても、見る人の立場・職位・知識・技術・思想・価値観……等々の相違によって、何を問題と思うかが異なる」ということです。何を問題と思うかが異なるのですから、人によって「問題の定義」は異なるのです。問題の定義が異なれば、提案される解決策も異なって当然です。

ＩＥ（インダストリアル・エンジニアリング＝ものづくりの工学）の研究者であり実践的コンサルタントとして活躍している川瀬武志（１９３４—）は、テキスト『ＩＥ問題の解決』において、生産現場を例として、こう述べています。

「問題解決の第一歩は、問題状況の中から問題をどのように区切って取り出すかを決めることです。そのためには、どの視点でそれを行うかをはっきりさせなければなりません」

この、問題を見る視点をもつ人が〝問題の所有者〟です。

以下では、まず〝問題の所有者〟の概念を紹介しましょう。続いてシンプルな都市施設配置計画モデルを、わざと異なる問題の所有者の立場から定式化・解説することによって、多様な住民の事情に目配りした豊かな分析を行うことができることを示します。

1 どのような価値観でモデルをつくるか

問題には必ず所有者がいる

まずもって大切なのは、現実世界の問題には必ず所有者がいるという事実です。そして次に大切なのが、その問題を解こうと努力する人の技術や価値観によって、適用される手法が異なるということです。結果として、問題の解決策として提案される内容は、それに介在する担当者によって、ずいぶんと異なるものになるのです。そして往々にして上手くいかない……。前出の川瀬は、ある会社の生産管理の不具合（納期の遅れ）という深刻な問題を例にして、生産管理課長、製造部長、経理出身の管理課長、担当コンサルタント、といった人たちが、それぞれ別個の問題を定義する様子を通じて、生産現場での問題解決が実に難しい課題であることを述べています（『ＩＥ問題の解決』は、生産現場における問題解決を目指す研究者と実務家の必読書だと思います）。

以上はＩＥという分野を前面に押し出した説明でしたが、本書が取り扱うのは一般的なモデル分析です。それに対応して、筆者は問題の所有者を、ある固有の価値観（何をもって善しとするか）で現実を見る人、と位置づけることにします。モデル分析において、どのような問題の所有者として（つまりどのような価値観の下で）問題を定義するのか、これが実に大切なのです。

価値観によって異なるものの見方

ただし、筆者のように学者として（つまり実社会の現場に所属せずに）、現実を観察して問題をこしらえるに当たっては、どのような問題の所有者の立場で考えるかが要件となります。別の表現をすれば、どのような価値観にしたがって考えるのか、ということです。それを都市計画研究を進める場合に即して嚙み砕いて述べてみましょう。

価値観a　社会全体の利益を優先するのがよいことである［**社会的最適性の重視**］
価値観b　社会の中の弱者（割りを食っている人）の利益を優先するのがよいことである［**弱者救済の重視**］
価値観c　社会の構成員の利益をできるだけ平準化するのがよいことである［**平等主義**］

こうした価値観の中から、どれかを選び、その価値観を持った人（問題の所有者）として問題を定義する、という研究方法論です。このように自分の立場を明確にして現実に向き合うと、解くべき問題を見通し良く定義できることが多いのです。さらに価値観a、価値観b、価値観cという異なるものの見方でモデル分析を行い、それらの結果を比較・検討すれば、実り多い研究成果につながる場合もあります。

以下に、わかり易い状況設定の下で、このことを説明してみましょう。

都市施設配置の3つの問題

地域の人口分布を所与として、住民が等しく利用する可能性のある施設を適切に配置したい、という実践的な問題を取り上げましょう。施設の例としては、公立小学校、行政サービス提供施設、住区センター、休日診療所などが挙げられます。このとき、前出の3つの価値観（問題の所有者）に応じて、次のような3つの問題が定義されます。

問題a　地域住民の移動のしんどさや、（自動車で移動したとして）ガソリン消費の総量を少しでも抑制するために、住民の施設への移動距離の〝総和〟を最小化したい

問題b　弱者救済のために、人々の施設への移動距離の〝最大値〟を最小化したい

問題c　住民の移動距離をできるだけ平準化するために、施設への移動距離の〝ばらつき（分散）〟を最小化したい

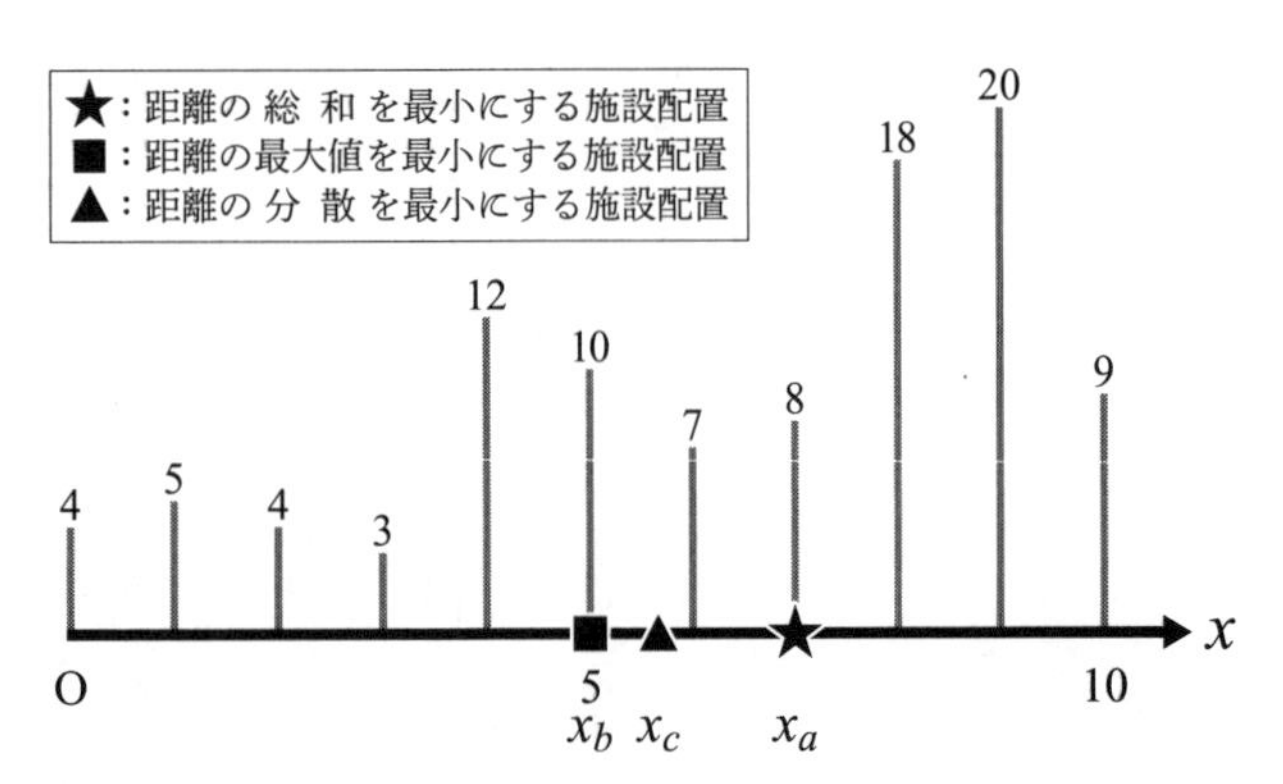

図9-1　長さ10の線分都市における人口分布と施設配置問題の3つの解

いま趣旨をわかりやすくお伝えするために、特に単純化した状況を考えます。長さ10の線分状の地域を考え、人口分布が図9－1のように与えられているものとしましょう。地域の左端を原点Oとする右向きのx座標が設けられています。間隔1で設けられた各地点の人口は縦の棒の長さで与えられており、地域の総人口はちょうど100人です。

問題aは、距離の総和（summation）を最小化する（minimize）問題なので、「ミニサム（minisum）型施設配置問題」とも呼ばれます。この問題の解の位置は図中の★、すなわち$x_a=7$で与えられます。これは人口をちょうど二分する位置（この位置の左右の人口が等しい）であり、中央値（median）と呼ばれます。$x_a=7$の地点の人口（8人）を左側に

5人、右側に3人割り振れば、★の左に50人、右に50人という具合に人口を分割できることがおわかりでしょう。なぜ、この中央値が最適解を与えるのかを説明するのは簡単です。★の位置から左あるいは右に施設を動かすと、その分だけ得する人数よりも損する人数の方が多いからです。

問題bは、距離の最大値（maximum）を最小化する（minimize）問題ですから、ミニマックス（minimax）型施設配置問題と呼ばれます。また、その解が人口が分布する範囲の中央になるので、センター問題とも呼ばれます。解の位置は図中の■、すなわち $x_b=5$ です。このとき左端の住民と右端の住民の移動距離は、ともに5です。もしも施設の位置を■から右に動かすと左端の住民の距離が増加し、左に動かすと右端の住民の距離が増加しますね。だからセンターである■が最適なのです。

問題cは距離の分散を最小化する問題です。分散とは統計学の概念であり、この問題の場合、［住民の移動距離］と［移動距離の平均値］との差の2乗の平均値のことです。分散が小さいほど、住民の間での不公平性が抑制されます。つまり、皆の移動距離が似たような値をとる傾向にある、ということです。この問題を解くと、図中の▲、すなわち $x_c=3362/589 \fallingdotseq 5.71$ を得ます。

表9-1　3つの解のパフォーマンス比較

3つの解	平均距離	最大距離	距離の分散
（問題a）の解 “★”: x_a=7	**119/50≃2.38**	7	7289/2500≃2.92
（問題b）の解 “■”: x_b=5	68/25≃2.72	**5**	3077/1250≃2.46
（問題c）の解 “▲”: x_c=3362/589≃5.71	1502/589≃2.55	3362/589≃5.71	**58583/29450=1.99**

最適解にも得手・不得手がある

　このように結果は、何をもって善しとするか、という価値観に依存します。別の言葉でいうと、最適解は問題の所有者によって異なるのです。読者の皆さんは、これら3つの最適解の、どれを支持しますか？　それを考えるための道標として、3つの解が、平均距離、最大距離、距離の分散をどのようなレベルで達成しているか、というパフォーマンスの様子を表9－1にまとめました。これによりわかることを、記してみます。

　まず、当たり前のことですが、平均距離を最も小さくするのは問題aの解であり、最大距離を最も小さくするのは問題bの解であり、距離の分散を最も小さくするのは問題cの解であることがわかります（表9－1中の太字の数値）。平均距離の達成度を見ると、問題aの解は平均距離2・38を達成しています。一方、問題bの解では平均距離2・72、問題cの解では平均距離2・55となっています。確かに平均距離の面では問題aの解が、他の2つよりも優れています。

最大距離、距離の分散も同様であり、3つの解には得手・不得手があることが理解できます。

すなわち、どの問題の解も、その問題が最小化を目指した目的関数値においては最高のパフォーマンスを示すものの、他の問題が目指した目的関数の値においては少し、あるいは大きく劣るのです。当たり前のことなのですが、こうした性質を正確に把握した上で、施設配置計画を立てるべきであることが理解できます。

多目的計画問題のパレート最適集合

次に応用問題として、住民から施設への平均距離と最大距離をともに小さくしたい、という多目的計画を考えてみましょう。そのために有効なのは、第8章で解説したパレート最適のモデル分析です。

いま、同一の施設位置に対する平均距離と最大距離をペアにして、これが施設の位置に応じて変化する様子を観察してみましょう。そのために、横軸を平均距離、縦軸を最大距離とする直交座標を図9－2のように設けます。そして、施設位置xを0からスタートさせて10まで連続的に変化させるときの、両者のペアが描く軌跡を示します。図9－2では、xが0、1、2、3…、10という切りのよい値をとるときの両者のペアに点（●や★や■）

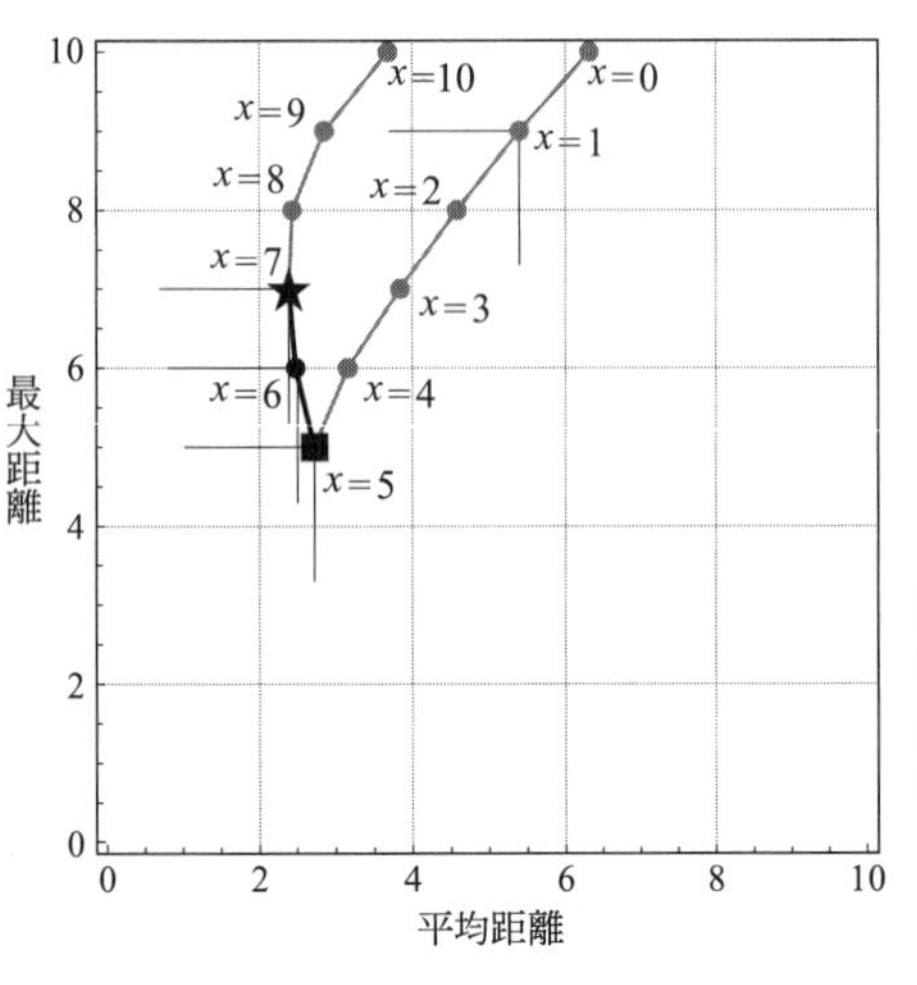

図9-2　平均距離と最大距離を最小化する多目的計画問題のパレート最適集合

をプロットしています。なお、★と■は、表9－1の情報に対応しています。

問題a　平均距離の最小化を実現する施設の位置はx_a＝7でした。そのときの平均距離と最大距離のペアは、図9－2中の★で表現されています（平均距離＝2・38かつ最大距離＝7）

問題b　最大距離の最小化を実現する施設の位置はx_b＝5でした。そのときの平均距離と最大距離のペアは、図9－2中の■で表現されています（平均距離＝2・72かつ最大距離＝5）

さてパレート分析です。ここでの課題は平均距離と最大距離を少しでも〝小さく〟することです。第8章の「企業が利益とシェアを少しでも〝大きく〟する問題」ならびに「スマホ購入予定者が価格を少しでも〝安く〟、機能は少しでも〝高く〟する問題」とは、この部分が異なります。そこで、図9－2の軌跡に含まれる点（施設位置xに応じた平均距離と最大距離のペア）から水平方向の左向きと、垂直方向の下向きに線を引き、点の左下の範囲を観察することにしましょう。この範囲は、元の点よりも、平均距離と最大距離の双方が下回る（もっと優れた解の）範囲です。

まず、xが0から5に至る軌跡上の点で、この観察を行うと、平均距離と最大距離の双方をもっと小さくしてくれる点が軌跡上に存在します。一例として、施設位置xが1のときの左下の観察範囲を示していますが、もっと優れた解が存在することが直ちにわかります。xが7から10に至る点についても同様です。つまり、これらの軌跡上のペアに対応する施設の位置には存在価値がありません。

一方、xが5から7に至る軌跡上の点で、この観察を行うと、平均距離と最大距離の双方をもっと小さくしてくれる点は存在しないことがわかります。例として施設位置xが5、6、7のときの左下の範囲を図中に示しています。すなわち、施設位置が5以上7以下のときの平均距離と最大距離をペアにしたものに対応する施設の位置は、互いに甲乙つけがたい解なのです。これがこの多目的計画問題のパレート最適集合にほかなりません。

以上から、この一次元都市に施設を設けるに際しては、x座標上の5以上7以下の範囲を候補とすべきであることが判明しました。実践的であり興味深い結果です。

背後にいる〝問題の所有者〟に思いを馳せる

1つの考察対象に対して、複数の問題の所有者が想定されること。これはさまざまな分野の設計段階であり得ることです。ある機能をもつ機械を設計するに当たっての「コストを最小化する」「安全性を最大化する」「大きさを最小化する」……といった複数の価値規準が、その一例です。どの問題の所有者の立場で設計するかによって、出来上がる機械は、ずいぶんと異なったものになるでしょう。

東南アジアのいくつかの国で新幹線を導入する際に、日本の新幹線が発注してもらえず、中国のものが採択される例が散見されますが、これは、日本のエンジニアが機能と安全性を重視するという問題の所有者であるのに対して、中国のエンジニアがコストカットを徹底するという問題の所有者だから、というのが1つの説明要因です（あくまでも1つの説明要因であり、他に政治的な要因があることは言うまでもありません）。

そのような大げさな話でなく、私たちの日常の中でも同様のことが見られます。ある予算で外食するときに、「味を重視する」「カロリーを重視する」「栄養バランスを重視する」

……といった価値規準によって、選択されるお店は違ったものとなりますね。

モデル分析のらせん的展開をたどった末に、納得できる結論に達したとしましょう。次になすのは、関係者を説得すべく説明文を書くことです。このときの結果が、ある問題の所有者の立場で（すなわちある固有の価値観の下で）導かれたものであるならば、他の価値観の下では良いパフォーマンスを示すとは限らないということを忘れてはなりません。そして、このことを説明文に明記するのが誠実な態度です。これは説明技術の問題ではなく、社会に良きものを残そうとするエンジニアの倫理の問題です。

また、モデル分析の結果を読む際には、その背後にいる〝問題の所有者〟に思いを馳せるべきです。いかなる価値観に基づいて生み出された結果なのかを認識することは、ある状況下では、自らの身を守るための手立てにもなるはずです。

2　実社会への眼差し

「本州四国連絡橋」架橋による正と負の影響

実社会の問題を解決するための対策が練られたり、地域社会の安全や利便を目指す大規模な公共事業が行われるのを、読者の皆さんもよく目にしていらっしゃるでしょう。それらの準備段階では、何のために、そして誰のためにという議論が行われます。政治家や行政担当者は、プロジェクトが目的合理的であることや、いくつかある代替案の中で、実施案が最も優れている理由を説明します。それらは、もちろん国民や地域住民のコンセンサスを得るためのものに相違ありません。

これらの説明を支えているのはどのようなモデルなのか、これが非常に大切です。前節「施設配置モデルの例」で示した通り、最適性を追求するモデルは、あくまでも想定した問題の所有者にとって望ましい解答を与えるものだからです。別の問題の所有者にとっては、プロジェクトの実行が悪い結果をもたらす恐れが、常にあります。

例として、周知の「本州四国連絡橋」という巨大プロジェクトを取り上げましょう。これは元総理大臣・田中角栄（1918―1993）の構想によるものです。田中は著書『日本列島改造論』の第Ⅳ章において、3つのルート（神戸―鳴門ルート、児島―坂出ルート、尾道―今治ルート）の建設意義について、人員輸送・物流・海難事故防止・水の供給といった面からその意義を説明しています。そして、「本州四国連絡三橋は四国の三百九十万人の住民にたいしてだけ架けるのではない。新幹線鉄道や高速道路とつなぎ、日本列島の三分の一を占める近畿、中国、四国および九州を一体化し、広域経済圏に育てあげるために架橋するのである」とプロジェクトを位置付けています。同書では続いて、これらの架橋が四国に人口増加をもたらすという見通しを述べ（当時四百万人弱の人口がやがて六百万人に増え、さらに八百万人に増加するだろうと書いています）、「本四連絡橋を三橋とも架けるからといって、過大投資というのはあたらない」と主張しています。

問題の所有者は、マクロな観点から広域経済圏を発展させたい人たちです。

このプロジェクトを、架橋の対象となる島嶼部に居をかまえる中小のサービス業者の立場からみたら、どのように評価されるでしょうか。

実は筆者はそうした離島のひとつで少年時代を過ごしました。本四架橋のひとつが架けられた島です。橋が完成すると、それまでの船便よりも本州に手軽に自家用車やバスで行くことができるようになり、本州の都市にある魅力的な店舗で買い物をしたり、娯楽施設を楽に訪れることができるようになりました（島には百貨店も映画館も大きな書店もありません）。

さらに離島の場合、島の病院では対処できないような怪我人や病人が夜間に発生したときには、特別なチャーター船で本州の大きな病院に送る必要がありましたが、救急車が本四架橋を走って連れて行ってくれるようになり、島民の医療面での安全性も向上しました。これらはプロジェクトの正の側面です。

ただし、正があれば負もあります。島内のサービス業は客の多くを本州の大規模店舗に奪われてしまいました。しかも、トラックで手軽に商品の搬入を行うことができるようになったので、島内には次々に大手資本の大型商業施設が進出してきて、島内の小売店はますます顧客を失い、続々と消えてゆきました。

自動車で本州側の公共施設を訪れることも容易になりました。筆者の両親は公共測量と土地家屋調査を行う小さな会社を経営していましたが、土地の登記手続きを行うための島内にあった法務局が架橋に伴い廃止されたために、わざわざ自動車で橋を渡って本土にある法務局を訪れねばならず、経営のためのコストが大幅に上がってしまいました。加えて本州側から大手の（政治家と行政担当者に働きかける力の強い）業者が進出してきたために、経営危機に陥りました。

このような現象はマーケティング研究の分野で「ストロー効果」と呼ばれるものです。商業と業務の蓄積において優れた大都市が、距離を超えて中小都市のヒト・モノ・お金を吸い取ってしまう状況を指す言葉です。筆者は後年、都市工学の研究者になり、高速輸送機関の敷設は地域の弱小な小売業者の売り上げを減らし、大都市の集客性の強い小売業者の売り上げを増やす宿命をもつ、という研究論文を書きました。輸送機関の発達は「強きを助け弱きをくじく」のです。少年のときに見た、故郷の小売店舗のなす街並みが、あれよあれよという間に寂れ廃れてゆく理由を、自分で説明することになるとは思いませんでした。

一部の不利益を見過ごさない

　このように、立派なモデル分析に基づいて進められる大きなプロジェクトが、別の問題の所有者を切り捨てる恐れをもつことを、為政者は知らねばなりません。政治家は「このプロジェクトはすべての人を幸せにします」といった具合に大胆な発言をしがちです。もちろん言っている本人も、それが嘘であることに気づいています。聞いている人たちも、もちろんその言を疑いの目で見ています。綺麗ごとだといわれるかもしれませんが、為政者と行政担当者にはもう少しだけ正直になっていただき、異なる問題の所有者の存在に目配りできる、そんなモデル分析を実行して欲しいものです。

　筆者は、不利益を被る者が存在する社会的なプロジェクトは実行すべきでない、などと主張しているのではありません。そもそも現実の社会問題を解決する際に、万人にとって等しく適切な解など存在しません。本質的に都市は不平等を生み出す装置なのです。全体の利益を追求するために、一部の不利益を必要悪として受け入れる、これはやむを得ないことなのです。申し上げたいのは、そうした不利益を見過ごさないようにすること、それが社会の成熟というものだということです。そして、そのために必要なのが注意深いモデル分析にほかなりません。

なお、第四次中東戦争を発端とする1973年の第一次オイルショックを契機として経済発展の有りようが変化し、日本の高度成長は終焉を迎えました。土木工学の目を見張る成果として存在する3ルートの本州四国連絡橋は、大変な赤字を生み出すことになりました。四国の2022年の人口は370万人ほどであり、2045年には280万人ほどにまで減少すると推定され、田中が夢見た地域の発展は残念ながら実現しませんでした。とはいえ大切なことは、この赤字が第8章で述べた「埋没費用」にほかならないという事実です。国も地域社会も、今後、本州四国連絡橋の存在を前提として、経済活動と文化活動を目的合理的に展開してゆくべきであることは言うまでもないことです。

第10章　モデルと人間

本書を通じて、モデルをベースにした思考の有りようについて述べてきました。その概略を図10－1に示します。

モデルは目的合理的な思考を下支えするために不可欠のツールであり、①定量と定性、②普遍と個性、③マクロとミクロ、④静的と動的、といった対概念によって、種々のヴァリエーションをもつことを実例とともに述べました。具体的なモデル分析には、記述力向上のために、らせん的展開が伴うことも記しました。そして、組織の意思決定を支えるた

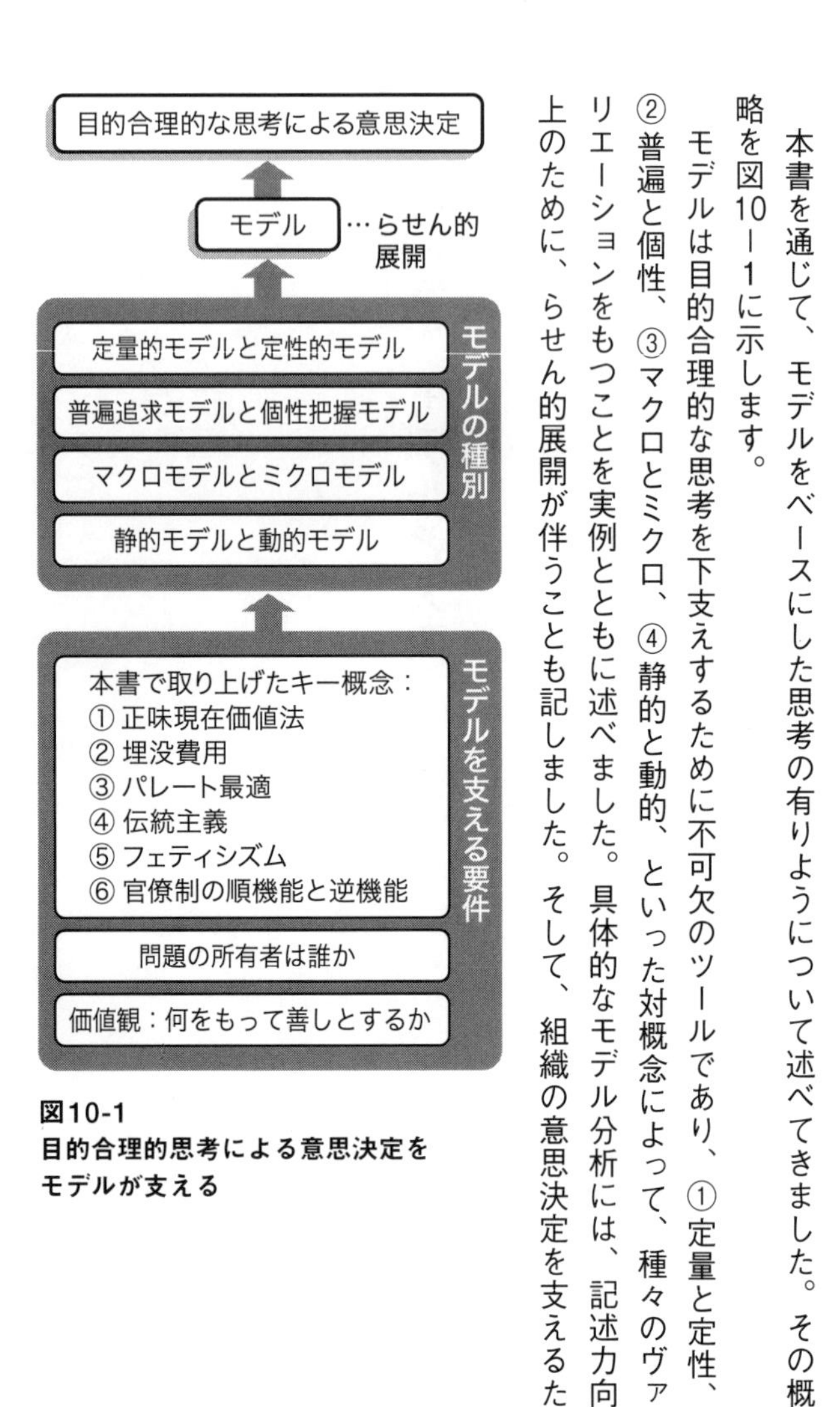

図10-1
目的合理的思考による意思決定をモデルが支える

めには、キー概念として正味現在価値法、埋没費用、パレート最適、伝統主義、フェティシズム、官僚制の順機能と逆機能、を理解しておくことが有効な場合が多いことも、現実例とともに述べました。さらにはモデル分析を下支えする要件として、問題の所有者は誰か(誰のために考えるのか)、何をもって善しとするかを紹介しました。

こうした内容は第一に、モデル分析を自ら行う場合に参考になると思います。そして第二に、自分が学びつつある学問分野は「いったいどのようなモデル種別に立脚し、いかなる問題意識に支えられ、誰のためにこしらえられた体系なのか」という、いわばモデル思考の地図を意識しながら適切に学習を進めるためにも参考になるでしょう。

本書を締めくくるこの章では、モデルと人間の関係にあらためて焦点を当て、モデル思考が人間の善き営みとなるように、そして人間の幸せをモデル思考がサポートできるように、という観点から要点を述べることにします。

1　思考のためのモデルリテラシー

文系と理系の境界を越える学び

筆者が本書を通じてお伝えしたかったテーマをあらためて端的に言うと、「モデルリテラシー」と表現できるかもしれません。リテラシー（英：literacy）の本来の意味は「読み書きの能力」ですが、それが転じて「特定の分野に関する知識や能力」の意味でも用いられます。日本語で○○リテラシーというときには、○○の分野で、必要最低限これだけは身につけておくべき能力、という意味で、よく使われます。

思考のためのモデルリテラシーというものを念頭におき、筆者がこれだけはぜひ、と考えた内容を、前章までで述べてきました。読者の皆さんが主として学んだ（学びつつある）学問が、いわゆる文系であろうと理系であろうと、共通のモデルリテラシーというものがあるはずだ、と考えたのです。

そして、文系の皆さんは理系の基本的方法を知ると豊かなモデル思考ができますよ、理系の皆さんは文系（社会学）の魅力的な概念を知ると人間・組織・社会に関するモデル思考を適切に進めることができますよ、という思いで執筆内容を選びました。

自分は理［文］系だから文［理］系のことはからっきし、だめなんです、といったことを言う人は思いのほか多いのです。筆者は、これは本当にもったいないことだと考えています。確かに、専ら理系の学問を学んできた人が比較宗教学の文献を読みこなすのは困難なことです。同様に、専ら文系の学問を学んできた人が数理最適化理論を用いたネットワーク上の均衡交通流の計算を行うのも困難です。両者ともに、前提となる基礎知識が相当量必要だからです。しかし、前提となる知識をそれほど要さずに、文系から理系に、そして理系から文系に、一歩境界を跨いで学べる内容が実は豊富に存在します。そうした学びによって、視野を飛躍的に広げられることを述べたくて、この本を書きました。

有名大学経済学部卒の銀行員が知らなかったこと

こうした境界を越えることの可能性に関わる例をひとつ述べます。

これは筆者が、ある大手の都市銀行に住宅ローンを申し込んだときの話です。ローン商品には元利均等返済（毎月の返済額が一定となる方法）と元金均等返済（毎月の返済額のうち元金の額が一定となる方法）があります。そのどちらかを選び、何年間で返済するか、ボーナス時の返済の増額を設けるか、といった選択をすることを、ご存じの読者の皆さんも多いかもしれません。

筆者は何通りかの借り入れ・返済案を候補に設定した上で、「各候補の月々の返済額を教えてください」と若手の担当者にお願いしました。すると、その人は「数日待ってください」と言うのです。私は彼がその場でパソコンに向かいチャチャッと計算して、すぐに教えてくれるものと思っていたので、びっくりしてしまいました。ローンの計算は複利に基づく単純な数学モデルです。彼との雑談で、彼がある有名大学の経済学部卒であることを知っていたので、驚きは尚更だったのです。その学部の入学試験の数学の問題が、かなり難しいものであることを筆者は知っています。

　この行員さんは住宅ローンの担当者なのに、どうしてすぐに計算してくれないのだろう？　珍しい質問をしたわけではなく、住宅ローンを利用しようとする客ならば、誰でも100パーセントするに違いない質問をしただけなのに……筆者の頭の中は「？」マークでいっぱいになりました。

　どうやらローンの計算はそれ専用のタブレットに情報を入力しては、表示された数字を客に伝えるというものだったのです。そのタブレットがそのとき使えない状態だったというわけです。それにしても数日かかるとはどういうことでしょう。パソコンと表計算ソフトさえあれば、すぐにできるのに。ご存じの読者はおわかりになる通り、ローン計算は高等学校の数学の域を出るものではありません。微分も積分も三角関数も指数関数も登場しません。その後の会話で、この行員さんが、住宅ローン計算の〝モデルそのもの〟を理解していないことがわかりました。そして結局、筆者はローン計算を自分のノートパソコンで行いました。

　この若手行員さんは筆者だけでなく、多くの顧客の信頼を得ることができていなかっただろうと想像します。こうした計算が自在に、そしてすぐにできて、顧客の事情を聴きとりながら手際よく親身になって説明してあげる。これが本寸法のサービスです。たぶん、この行員さんは、複利に基づくローン計算が、自分がカバーすべき範囲の外にあるものだと考えていたのだろうと思います。理系っぽいモデル計算の世界に少しだけ侵入すれば、簡単に理解できて、お客さんを喜ばせることができるのに……。しかも、この行員さんにはその能力があるのに。実にもったいないことなのでした。モデルリテラシーを意識することの大切さがおわかりになると思います。

2　モデルと自己防衛の営み

自ら真偽を判定する習慣

さて、前章まででー貫して述べてきたことですが、モデル分析によって目的合理的に思考するためには、モデル記述のために用いた論理が検証可能でなければなりません。それを支えるのは、既知の科学的な法則と、目前の現実の観察（統計データを含む）です。

ですから、誰かが何かを主張している場合には、それを受け入れる前に、そこで用いられているモデルの内容はもちろんのこと、どのような現実観察によってモデル分析が行われたのかを確かめてください。平たく言えば、「論理的なモデルをこしらえたの？　ちゃんとしたデータを用いたの？」という疑いの目で見てください、ということです。この部分で納得できなければ、相手の主張を信じるべきではありません。「僕が信頼する○○さんがそう言ってたから、これが正しいのです」などという主張に耳を傾けるべきではありません。特にネット動画のようなメディアを通じて語られるさまざまな見解は、何に立脚して得られたのかが不明な結論を、自信満々で紹介していることも多々あります。

基本的には検証可能なモデル分析を伴う情報に耳を傾けましょう。また、主張されている結論が自分にとって大切だと思う場合には、その主張を支える書物や学術論文を入手して読み解き、自らその真偽を判定する習慣をつけましょう。これは氾濫する情報からの自己防衛の営みです。

検証されない日本の公共事業

このことについては、私たちの社会が抱える問題をひとつ紹介し、読者の皆さんに考えていただきたいことがあります。

政府や地方公共団体が進めるインフラ計画や財政計画は、多くの場合数学モデルに基づいていて、その合理性が主張されています。事前の報告書作成には、その分野の識者ということになっている（つまり官僚から依頼された）各種機関の研究者や専門家が充てられています。

それはよいのですが、出来上がった報告書のピアレビュー（査読。同一分野の専門家による論理的妥当性の確認のこと。英語で peer review という）というものの存在を聞いたことがありません。学者が専門学術誌に研究論文を掲載してもらうためには、必ずピアレビューを受けます。それをパスしなければ論文誌に掲載してもらえないのです。しかしながら……場合によっては一国の行く末を左右するかもしれない計画書や報告書に査読がないのはどうしたことでしょう。

ましてや、公的なプロジェクトが完了したときに、事前の報告書が的を射た合理的なものだったのか、そこで用いられたデータには誤りや偏りはなかったのか、これらはほとんどの場合、見向きもされません。このことには理由があります。ひとつには、そのようなレビュー制度が存在しないからです。それに加えて、他の研究者がそうしたチェックを行う研究を自主的に行っても、学界で評価されないからです。だから、こうした報告書は、科学的な検証をなされないままです。筆者は、このことが日本の社会にとって、相当に大きな問題だと思っています。読者の皆さんはどのように考えますか？

3 人間の領分

「住民による徒歩」を肯定する動き

本書がテーマとしてきたのは「目的合理的な思考による意思決定」でした。それを下支えするモデル分析を考えてきたのです（図10－1）。この意思決定には必ず〝問題の所有者〟が存在することを第9章で述べました。人間の価値観（何をもって善しとするかということ）に依存してモデルがつくられ、固有の解（物事への対処法）が合理的に突き止められる、という論理の流れでしたね。

この節では、こうした人間の価値観に基づく現実問題へのアプローチが、社会的な状況の変化、ならびに新たなる科学的事実の発見から影響を受けて変容する場合があることを述べましょう。

説明のために、第9章の「都市施設配置モデルにおける例」を振り返ります。住民にとって善き施設の位置を決める、という問題でした。そのためのモデルをつくるに際して、(a)住民の移動距離の総和を最小にする、(b)住民の施設への移動距離の最大値を最小にする、(c)住民の移動距離の分散（ばらつきの尺度）を最小にする、という3つのアプローチを示しました。（a）は社会的な最適化、（b）は弱者救済、（c）は住民間の公平性、という具合に、それぞれが異なる価値観に対応していましたね。ただし、これらには共通の大前提があったことにお気づきでしょうか。

ここで紹介した、異なる価値観による異なるモデルに共通する大前提は、「移動距離は短いほど良い」というものです。［移動距離が短いこと］＝［合理的］という理解です。ちなみに、前章で解説した施設配置モデルは、ドイツの社会学者・経済学者アルフレート・ヴェーバー（1868─1958、マックス・ヴェーバーの実弟）が著書『工業立地論』で述べています。そこでは原材料の供給地点からの輸送費と、原材料を用いてつくられた製品の市場への輸送費の総額を最小化する工場の位置が議論されました。

この考え方を都市施設の配置問題に適用し、最適化アルゴリズムを提案したのが、オペレーションズ・リサーチ分野のレオン・クーパー（1924─1980）でした。ここから続いた研究のらせん的展開は大変な進展を見せ、今日に至っています。そうした長い研究の系譜を通じて、移動距離は常に必要悪として取り扱われてきたのです。

しかし、最近の都市工学研究においては、このことに変化が起きつつあります。それは、住民の徒歩による移動距離を、むしろ積極的に評価し、それなりの距離を気持ちよく歩いてもらう都市構造を実現しよう、というアイデアです。これには3つの背景があります。

平均歩数と死亡率の関係

第一の背景は、これまでの都市計画が自動車の利便性を追求することを主眼に据えてきたことへの反省です。特に地方都市での過度な自動車利用が問題です。一つの世帯に複数の自動車が保有されるのも常であり、家族の各自が自動車で通勤し、自動車で買い物をし、自動車で人に会いにゆきます。これに徒歩空間の景観設計の貧困（つまり歩いていても楽しくない街並み）が重なる場合は、なおさらに徒歩移動の頻度が低くなります。実際に、多くの地方都市で、ほとんど人通りがなく自動車だけが行きかっている光景がよく見られます。こうした深刻な事態を反省し、都市空間を豊かな景観設計の下で心地よく歩き回れるものとして生まれ変わらせようというアイデアです。歩道が安全で緑と花で彩られ、楽しい文化的な仕掛けが設けられ、美しいファサード（建物正面の造形）をもつ統一感のある街並みだったら、いくらでも歩きたくなるはずです。

第二の背景は、高齢化への対応です。地方の山間部などでは、人口減のために小売業が存続できなくなり、次々に撤退しています。若い世代は、それでも無理をすれば自動車で遠くまで買い物にゆけるのですが、高齢者はそうはいかない場合も多いのです。日常の食料品の買い物にも困る、いわゆる「買い物弱者」が出現しつつあります（そのような人たちが住むエリアは food desert 食料砂漠と呼ばれます）。こうした人たちを助けるためには、これまでの都市構造ではだめであり、コンパクトな都市に集住してもらい、徒歩によって日常生活が送れるようにしてあげればよかろう、というわけです。

第三の背景は「歩くことが都市住民の健康の維持に役立つ」という認識です。多くの人がそのように感じていたはずですが、それは科学的に正しいことでしょうか？　この章で、「主張されている結論が自分にとって大切だと思う場合には、その主張を支える書物や学術論文を入手して読み解き、自らその真偽を判定する習慣をつけましょう」と述べた通りに、歩行効果の根拠を科学的に把握することが望ましい態度です。そのためにWebの検索機能を用いてキーワード検索を行うと、いくつもの医学論文が公表されていることがわかりました。現時点で最新のもの（2022年の論文）を1つ紹介しましょう。

それは、人の一日当たりの平均歩数と年当たり死亡率の関係を調査した15件の先行する疫学研究に、メタアナリシス（既存の疫学研究の成果を統合するための統計学的手法）を施した研究論文であり、米国の著名な医学誌（「ランセット」）に掲載されています。

この研究論文（「毎日の歩数と全死亡率：15の国際コーホートのメタアナリシス」）によれば、年当たり死亡率（人が1年以内に死亡する確率）は歩数の増加につれて減衰する傾向をもち、60歳未満では8000歩〜10000歩で、60歳以上では6000歩〜8000歩でほぼ底を打つことが判明しました（それ以上歩数を増やしても死亡率は横ばいになります）。

全年齢でならした結果でいうと、一日当たりの平均歩数が２０００歩の人の年当たりの死亡率が約０・０２であるのに対して、８０００歩の人の年当たりの死亡率は約０・００７という結果が示されています。統計学的には、後者は３分の１の死亡率です。若い人たちは１日当たり８０００歩程度を、筆者のように還暦を過ぎた人の場合は７０００歩程度を目安に歩くと、死亡率を下げるために十分に寄与できることが、論文から読み取れます。適度に歩くことは確かに健康維持の役に立つのです。

古きを捨て新しきをこしらえる

ここで述べてきたことをまとめると、①車中心社会から人間中心社会への転換、②人口減少問題への対応としてのコンパクトな都市空間への転換、③医学的事実に基づく徒歩中心社会の肯定、というアイデアに立脚し、新しい都市計画の潮流が生まれつつある、ということです。特に③に焦点を当てると、これまでの、移動距離を小さくする施設配置研究でなく、徒歩移動をある程度以上確保するための施設配置研究、というものが大切になってきます。その際にも、（a）社会的な最適化、（b）弱者救済、（c）住民間の公平性の確保、といった異なる価値観の下でのモデル構築が展開していくことは言うまでもありません。

以上の説明からわかる通り、モデルというものは一通りつくり終えたらそれで終わりではありません。人間による営みを、伝統主義に陥ることなく正面から観察し、変える勇気を持つことが大切です。そして、上述のような新たなる医学上の知見や、自然と人間の関係に関する知見、これまで気づかなかった要件、そうしたものに目を光らせるのです。新事実を部品として取り入れ、古きを捨て新しきをこしらえる（こういう営みをスクラップ・アンド・ビルドといいます）ことに努力を注ぐのです。これが、人間の幸せの実現を目指す研究の本質かもしれません。

そして大切なことは、このような思考の営みが、すべて人間の領分である、ということです。「自分はこのようになりたい」「大切な人に幸せになってほしい」「社会の有りようをよくしたい」といった、人間としての正直で素朴な欲求からスタートして思考するのです。その際に、思考を支えてくれるモデル分析を意識し、モデルを十全たるものにすることを目指しましょう。

おわりに

　世にはさまざまな考える技術の指南書があります。それにもかかわらず、このような形で浅学の筆者の書物を世に問うことに意味があるのか、という点に悩みがありました。しかし、思考を支えるモデル分析の枠組みを正しく理解して活用する方法を、筆者独自のわかりやすい言葉で皆さんにお伝えしたいという情熱が、この悩みを上回りました。また、理系と文系の分野を問わず、さまざまな意思決定のための思考を下支えしてくれる概念装置を、コンパクトな一冊の書物としてまとめて読者の便とすることにも意味があるだろうと考えるに至りました。

　こうして書き上げたものを読み直してみると、そこには筆者が受けた大学教育が色濃く反映されていることに、あらためて気づきます。筆者は筑波大学第三学群社会工学類で学びました。学群・学類というのは、多くの大学の学部・学科に相当する組織の名称です。まだできたばかりの学類であったため、筆者が入学した１９７９年には未だ4年生がいませんでした。そこでの先生方はできたばかりの学類の教育を理想に近づけるための気概にあふれていました。社会工学とは何か、学問は如何にして社会に貢献すべきか、学部生と大学院生を社会に巣立たせるために、どのような〝知〟を伝授すべきか、といった根源的な問いかけを自らになしつつ、私たち学生に対する真剣な授業をしてくださったように思います。

そうした授業を通じて、大学2年生の時点で講義のテキストとして採用されていたのが、本書を執筆するうえでも大きな道しるべとなった、カール・ポパーの『歴史主義の貧困』（第2章で言及しました）でした。数学者・理論物理学者アンリ・ポアンカレの『科学と方法』にはじまる啓蒙書も、ぜひとも読むべき書物として授業中に推奨されたものでした。

60年安保闘争に端を発する学生運動の盛り上がりが沈静化し、筆者たちの世代の多くは、いわゆるノンポリ学生でした。毛沢東の『毛語録』もカール・マルクスの『資本論』も、学生同士の会話に積極的には登場しない世代です。だから、カール・ポパーが何故にヘーゲルやマルクスの歴史主義を、あそこまで徹底的に批判せねばならなかったのかを、最初は理解することができませんでした。それを理解しようとすると、マルクスのなしたこと（正確にいうと、マルクスの思想から影響を受けた人たちがなしたこと）を学び、それがいかなる社会的な混乱を世界にもたらしたかを学ばねばならなくなりました。そのような意味で『歴史主義の貧困』は大いなる学びの契機を与える書物でした。

こうした大学での初期のインプットが、その後の読書の方向付けを与えてくれたように思います。この方向付けがなかったら、知的生産とは何か、そもそも何を生産すべきか、といったことを深く考えることはなかったかもしれません。そして、物事の本質を突きとめる営みにおいて、モデル思考の技術が不可欠である、という深い思いも持ちえなかったかもしれません。そうした考えや強い気持ちがなかったら、本書を執筆することはできなかったでしょう。大学における基礎教育、あるいは教養教育というものは本当に大切なものであると、あらためて感じています。

それからもう一つ、筆者が大きな影響を受けたのが、現在所属する慶應義塾大学理工学部管理工学科の文化です。30年前に専任講師として赴任してから今日に至るまで、研究・教育スタッフとして働いてきたのですが、この学科は筆者にとっては一貫して学びの場でした。管理工学科は人・もの・お金・情報に関する問題を、モデル思考と実験によって追求する学科です。「もの」の側面をサポートするインダストリアル・エンジニアリング、「お金」の側面をサポートする経済性工学と金融工学、そうした筆者の専門とは異なる文化を学ぶことは大いなる喜びであると同時に、自分の専門分野の研究のあり方を顧みるための力をも与えてくれました。本書で取り上げた、モデル思考を支えるための「問題の所有者」「正味現在価値法」「埋没費用」といった概念を正しく学ぶことができたのは学科の先輩教員の皆さんのおかげです。

なお、本書は文科系と理科系にまたがるモデル分析と思考の技術をテーマにしました。

そして、①定量的モデルと定性的モデル、②マクロモデルとミクロモデル、③普遍性を追求するモデルと個体を把握するモデル、④静的モデルと動的モデル、というモデルの切り分け方に限定した内容をお伝えしています。

実は数理モデルに限って言えば、これらの他に、⑤確定的モデルと確率的モデル、⑥線形モデルと非線形モデル、⑦離散的モデルと連続的モデル、⑧非周期的モデルと周期的モデルといった切り分け方が存在します。紙面の制約のためにこれらについては言及しませんでした。理科系の読者の皆さんにあっては、発想の幅を広げるために、これらも学んでおくとよいでしょう。古い書物ですが、航空工学とオペレーションズ・リサーチの大家であった近藤次郎博士（P182）が著した『数学モデル―現象の数式化』（丸善、1976年）が、その内容の網羅性の面で大いに参考になるものと思われます。

この書物を執筆するに当たっては、多くの方々のお世話になりました。

まず筆者の元指導教員の腰塚武志先生（筑波大学元理事・副学長、名誉教授）は、本書の元原稿をお読みくださり、貴重なコメントをくださいました。そして、筑波大学社会工学類の学際教育の成果であるという力づけのお言葉をくださったことに心より感謝申し上げます。

現在の職場のオペレーションズ・リサーチグループの同僚である田中健一教授ならびに

成島康史教授は、本書の元原稿を読み、タイポのみならず、誤解を招かずわかりやすくするための改善案をくださいました。深く御礼申し上げます。

本書の初稿が出来上がった段階で、筆者は前野隆司教授（慶應義塾大学大学院システムデザイン・マネジメント研究科）に相談し、講談社現代新書の井本麻紀さんを紹介していただきました。前野先生は講談社現代新書『幸せのメカニズム　実践・幸福学入門』という大変に興味深い書物を上梓されています。前野先生のご親切がなければ、本書がこのようにスムーズに出版に至ることはなかったでしょう。心より御礼申し上げます。

最後になりましたが、原稿を深く読み解き、的確かつ具体的で大幅な改訂案を提供してくださり、大いなる方向付けを示してくださった講談社学芸第一出版部の井本麻紀さんに心より感謝申し上げます。原稿の内容の優れている点を評価してくださるとともに、至らぬ点の数々を具体的かつ論理的に説明してくださったおかげて、筆者は十分に納得しながら、諦めることなく修正・加筆し、原稿を完成させることができました。本物のプロフェッショナルの精密で誠実なお仕事に心より敬意を表します。

2023年8月　慶應義塾大学　矢上キャンパスにて

栗田　治

参考文献

序章

濱嶋 朗、竹内郁郎、石川晃弘 編 (1997) :『新版 社会学小辞典』有斐閣
大澤真幸 (2019) :『社会学史』講談社現代新書
塩野七生 (2004) :『ローマ人の物語 11 ―ユリウス・カエサル ルビコン以後 (上) ―』新潮文庫

第1章

柳井 浩 (2009) :『数理モデル』(基礎数理講座4)、朝倉書店
西成活裕 (2006) :『渋滞学』新潮選書

第2章

室井和男、中村 滋 (コーディネーター) (2017) :『シュメール人の数学 ―粘土板に刻まれた古の数学を読む―』(共立スマートセレクション17)、共立出版
アンリ・ポアンカレ (1905 原著)、吉田洋一 (1977 訳) :『科学の価値』岩波文庫
中谷宇吉郎 (1958) :『科学の方法』岩波新書
大森荘蔵 (1994) :『知の構築とその呪縛』ちくま学芸文庫
カール・R・ポパー (1957 原著)、久野 収、市井三郎 (1961 訳) :『歴史主義の貧困 ―社会科学の方法と実践―』中央公論社
トマス・ホッブズ (1651 原著)、角田安正 (2014-2018 訳) :『リヴァイアサン (1・2)』光文社古典新訳文庫
エミール・デュルケーム (1897 原著)、宮島 喬 (2018 訳) :『自殺論』中公文庫
マックス・ヴェーバー (1920 原著)、大塚久雄 (1989 訳) :『プロテスタンティズムの倫理と資本主義の精神』岩波文庫
小室直樹 (2003) :『経済学をめぐる巨匠たち ―経済思想ゼミナール―』ダイヤモンド社
高根正昭 (1979) :『創造の方法学』講談社現代新書
佐和隆光 (1982) :『経済学とは何だろうか』岩波新書
ピーター・グールド (1985 原著)、杉浦章介、二神真美 (1989 訳) :『現代地理学のフロンティア (上)』地人書房
E・G・ラベンシュタイン (1885 原著)、古山正雄 (1987 訳) :「II-1 移住の法則」、下総 薫 (1987 監訳)、岡部篤行、古山正雄、田渕隆俊 (1987 訳) :『都市解析論文選集』(pp.56-136)、古今書院 [原著 : Ravenstein, E.G. (1885) : The laws of migration, *Journal of the Royal Statistical Society of London*, XLVIII, pp.167-199]
石川義孝 (1988) :『空間的相互作用モデル ―その系譜と体系―』地人書房
栗田 治 (2013) :『都市と地域の数理モデル ―都市解析における数学的方法―』共立出版
デヴィッド・バージェス、モラグ・ボリー (1981 原著)、垣田高夫、大町比佐栄 (1990 訳) :『微分方程式で数学モデルを作ろう』日本評論社

第3章
大塚久雄（1966）：『社会科学の方法 ―ヴェーバーとマルクス―』岩波新書
カール・フォン・クラウゼヴィッツ（1832-1834 原著）、篠田英雄（1968 訳）：『戦争論（上・中・下）』岩波文庫
黒野 耐（2005）：『「戦争学」概論』講談社現代新書
クラレンス・ペリー（1929 原著）、倉田和四生（1975 訳）：『近隣住区論 ―新しいコミュニティ計画のために―』鹿島出版会

第4章
ダン・アリエリー、NHK白熱教室制作チーム（2014、2017 訳）：『アリエリー教授の「行動経済学」入門』ハヤカワ文庫
新谷洋二、原田昇 編著（2017）：『都市交通計画』（第3版）、技報堂出版
黒川 洸 編集、土木学会土木計画学研究委員会（1995）：『非集計行動モデルの理論と実際』丸善
青野 修（1982）：『次元と次元解析（物理学One Point 16）』共立出版
ローレンス・M・クラウス（1993 原著）、青木 薫（2004 訳）：『物理学者はマルがお好き ―牛を球とみなして始める、物理学的発想法―』早川書房

第5章
鈴木博之（1999）：『都市へ』（日本の近代10）、中央公論新社
ニコラス・ファーン（2001 原著）、中山 元（2003 訳）：『考える道具』角川書店

第6章
古山正雄 監修、栗田 治（2004）：『都市モデル読本』（造形ライブラリー5）、共立出版

第7章
リチャード・ハウ、デニス・リチャーズ（1989 原著）、河合 裕（1994 訳）：『バトル・オブ・ブリテン ―イギリスを守った空の決戦―』新潮文庫
フィリップ・M・モース、ジョージ・E・キンボル（1951 原著）、日本科学技術連盟（1953 訳）：『オペレェィション・リサーチの方法』（非売品）、日本科学技術連盟・保安庁保安局調査課
Kondo, J.（1957）：Determination of the optimum number of seats of a passenger transport plane, *Journal of the Operations Research Society of Japan*, Vol. 1, No. 3, pp.127-144
マルクス・ウィトルーウィウス・ポッリオ（B.C.33-B.C.22）、森田慶一（1979 訳註）：『ウィトルーウィウス建築書』東海大学出版会
デビッド・マコーレイ（1974 原著）、西川幸治（1980 訳）：『都市 ―ローマ人はどのように都市をつくったか―』岩波書店

第8章

千住鎮雄、伏見多美雄（1994）：『新版 経済性工学の基礎 ―意思決定のための経済性分析―』日本能率協会マネジメントセンター
元村有希子（2009）：「大学院重点化は一体なんだったのか」『化学と工業』Vol. 62-8, pp.873-874
中野剛志（2022）：『奇跡の社会科学 ―現代の問題を解決しうる名著の知恵―』PHP新書

第9章

川瀬武志（1995）：『IE問題の解決』日刊工業新聞社
田中角栄（1972）：『日本列島改造論』日刊工業新聞社

第10章

アルフレッド・ヴェーバー（1909 原著）、篠原泰三（1986 訳）：『工業立地論』大明堂
Cooper, L.（1963）：Location-Allocation Problems, *Operations Research*, Vol. 11, No. 3, pp.331-343
Paluch, A.E., et al.（2022）：Daily steps and all-cause mortality：A meta-analysis of 15 international cohorts, *The Lancet, Public Health*, Vol. 7, No. 3, pp.219-228

おわりに

近藤次郎（1976）：『数学モデル ―現象の数式化―』丸善

N.D.C. 401　275p　18cm
ISBN978-4-06-533525-3

講談社現代新書　2720

思考の方法学

二〇二三年九月二〇日第一刷発行

著者　栗田治　© Osamu Kurita 2023
発行者　髙橋明男
発行所　株式会社講談社
東京都文京区音羽二丁目一二―二一　郵便番号一一二―八〇〇一
電話　〇三―五三九五―三五二一　編集（現代新書）
〇三―五三九五―四四一五　販売
〇三―五三九五―三六一五　業務
装幀者　中島英樹／中島デザイン
印刷所　株式会社ＫＰＳプロダクツ
製本所　株式会社国宝社
定価はカバーに表示してあります　Printed in Japan

「講談社現代新書」の刊行にあたって

教養は万人が身をもって養い創造すべきものであって、一部の専門家の占有物として、ただ一方的に人々の手もとに配布され伝達されうるものではありません。

しかし、不幸にしてわが国の現状では、教養の重要な養いとなるべき書物は、ほとんど講壇からの天下りや単なる解説に終始し、知識技術を真剣に希求する青少年・学生・一般民衆の根本的な疑問や興味は、けっして十分に答えられ、解きほぐされ、手引きされることがありません。万人の内奥から発した真正の教養への芽ばえが、こうして放置され、むなしく滅びさる運命にゆだねられているのです。

このことは、中・高校だけで教育をおわる人々の成長をはばんでいるだけでなく、大学に進んだり、インテリと目されたりする人々の精神力の健康さえもむしばみ、わが国の文化の実質をまことに脆弱なものにしています。単なる博識以上の根強い思索力・判断力、および確かな技術にささえられた教養を必要とする日本の将来にとって、これは真剣に憂慮されなければならない事態であるといわなければなりません。

わたしたちの「講談社現代新書」は、この事態の克服を意図して計画されたものです。これによってわたしたちは、講壇からの天下りでもなく、単なる解説書でもない、もっぱら万人の魂に生ずる初発的かつ根本的な問題をとらえ、掘り起こし、手引きし、しかも最新の知識への展望を万人に確立させる書物を、新しく世の中に送り出したいと念願しています。

わたしたちは、創業以来民衆を対象とする啓蒙の仕事に専心してきた講談社にとって、これこそもっともふさわしい課題であり、伝統ある出版社としての義務でもあると考えているのです。

一九六四年四月　野間省一

哲学・思想Ⅰ

66 哲学のすすめ——岩崎武雄
159 弁証法はどういう科学か 三浦つとむ
501 ニーチェとの対話——西尾幹二
871 言葉と無意識——丸山圭三郎
898 はじめての構造主義 橋爪大三郎
916 哲学入門一歩前——廣松渉
921 現代思想を読む事典 今村仁司 編
977 哲学の歴史——新田義弘
989 ミシェル・フーコー 内田隆三
1001 今こそマルクスを読み返す 廣松渉
1286 哲学の謎——野矢茂樹
1293 「時間」を哲学する——中島義道
1315 じぶん・この不思議な存在—鷲田清一
1357 新しいヘーゲル——長谷川宏
1383 カントの人間学——中島義道
1401 これがニーチェだ——永井均
1420 無限論の教室——野矢茂樹
1466 ゲーデルの哲学——高橋昌一郎
1575 動物化するポストモダン 東浩紀
1582 ロボットの心——柴田正良
1600 ハイデガー＝存在神秘の哲学——古東哲明
1635 これが現象学だ——谷徹
1638 時間は実在するか 入不二基義
1675 ウィトゲンシュタインはこう考えた 鬼界彰夫
1783 スピノザの世界——上野修
1839 読む哲学事典——田島正樹
1948 理性の限界——高橋昌一郎
1957 リアルのゆくえ——大塚英志 東浩紀
1996 今こそアーレントを読み直す——仲正昌樹
2004 はじめての言語ゲーム——橋爪大三郎
2048 知性の限界——高橋昌一郎
2050 超解読！ はじめてのヘーゲル『精神現象学』 竹田青嗣 西研
2084 はじめての政治哲学 小川仁志
2099 超解読！ はじめてのカント『純粋理性批判』 竹田青嗣
2153 感性の限界——高橋昌一郎
2169 超解読！ はじめてのフッサール『現象学の理念』——竹田青嗣
2185 死別の悲しみに向き合う——坂口幸弘
2279 マックス・ウェーバーを読む——仲正昌樹

哲学・思想Ⅱ

13 論語―――貝塚茂樹
285 正しく考えるために　岩崎武雄
324 美について―――今道友信
1007 日本の風景・西欧の景観―オギュスタン・ベルク 篠田勝英 訳
1123 はじめてのインド哲学　立川武蔵
1150 「欲望」と資本主義―佐伯啓思
1163 「孫子」を読む―――浅野裕一
1247 メタファー思考―――瀬戸賢一
1248 20世紀言語学入門　加賀野井秀一
1278 ラカンの精神分析―新宮一成
1358 「教養」とは何か―――阿部謹也
1436 古事記と日本書紀　神野志隆光
1439 〈意識〉とは何だろうか　下條信輔
1542 自由はどこまで可能か　森村進
1544 倫理という力―――前田英樹
1560 神道の逆襲―――菅野覚明
1741 武士道の逆襲―――菅野覚明
1749 自由とは何か―――佐伯啓思
1763 ソシュールと言語学―町田健
1849 系統樹思考の世界―三中信宏
1867 現代建築に関する16章　五十嵐太郎
2009 ニッポンの思想―――佐々木敦
2014 分類思考の世界―――三中信宏
2093 ウェブ×ソーシャル×アメリカ　池田純一
2114 いつだって大変な時代―堀井憲一郎
2134 いまを生きるための思想キーワード―仲正昌樹
2155 独立国家のつくりかた　坂口恭平
2167 新しい左翼入門―――松尾匡
2168 社会を変えるには―小熊英二
2172 私とは何か―――平野啓一郎
2177 わかりあえないことから　平田オリザ
2179 アメリカを動かす思想　小川仁志
2216 まんが　哲学入門―森岡正博 寺田にゃんこふ
2254 教育の力―――苫野一徳
2274 現実脱出論―――坂口恭平
2290 闘うための哲学書―小川仁志 萱野稔人
2341 ハイデガー哲学入門　仲正昌樹
2437 ハイデガー『存在と時間』入門―――轟孝夫